Battle zonder Knokken

Talentcoaching van risicojongeren

Maike Kooijmans

uitgeverij
SWP

Battle zonder knokken
Talentcoaching van risicojongeren
Maike Kooijmans

ISBN 978 90 8850 041 1
NUR 740

Geen land mee te bezeilen?

2008, ik doe een poging tot te varen
zeilen omhoog
ik ga m'n schepen loslaten
maar waar wil je heen
als het verloren is en alles dat nog rest
is enkel een weg naar de verdommenis
wanneer ik links kijk zie ik een 14 jarige
verloren in de zin
hij kan het slechte niet meer laten
één uur 's-nachts
z'n mama weet niet waar hij is
ze gaat naar bed zonder dat ze haar kind mist
het is Jason, laat op straat, klaar voor de daad
hij ziet z'n makkers en hij staat paraat
het geluid van het geschreeuw
ik zal het nooit vergeten
om een mp3 beroofde Jason iemand van het leven
als ik terug denk aan wat er is gebeurd
is er één vraag die me meetrekt en meesleurt
of hij dit zelf wou is iets wat ik betwijfel

maar hoe moet ik dit land nog gaan bezeilen
want kijk, hoe hard ik het probeer
de zeilen blijven slap en de wind waait niet meer
ik zet de koers uit, hier wil ik niet blijven
maar hoe moet ik dit land gaan bezeilen

want kijk het zit zo, hoe hard ik het probeer
de zeilen blijven slap en de wind waait niet meer
ik zet de koers uit, hier wil ik niet blijven
maar hoe moet ik dit land gaan bezeilen

2007, juli jaar geleden
dat Michelle begon met wat ze nu doet
zoeken naar problemen
vast en zeker, ze had het zellef nooit gedaan
maar Michelle had een vriendin, daar ging het van de baan
blind vertrouwen, dat is wat haar vloerde
op het moment dat zij de smaak van de joint in haar mond voelde
iedereen doet het, dus mag het wel

als iedereen springt, ga jij dan ook?
nou, Michelle wel
kijk, het begon bij de wiet en ging verder met de coke
het ging door naar de handel want ze raakte broke
en niet alleen haar geld raakte verdwenen
langzaam maar beetje verloor ze de zin om te leven

ik vraag je dit
ik zie de hoeken, ik kijk naar voren
maar waar moeten we nou het succes gaan boeken
is het de oorzaak? dit was de vraag
ik denk dat ik m'n ogen sluit voor vandaag
want kijk, het zit zo, hoe hard ik het probeer
de zeilen blijven slap en de wind waait niet meer
ik zet m'n koers uit, hier wil ik niet blijven
maar hoe moet ik dit land gaan bezeilen

kijk één vraag
want hoe hard ik het probeer
de zeilen blijven slap en de wind waait niet meer
ik zet m'n koers uit, hier wil ik niet blijven
maar hoe moet ik dit land nou gaan bezeilen

en hoe moet ik dit land nou gaan bezeilen
en hoe moet ik dit land nou gaan bezeilen
ik hoop dat jullie het antwoord vinden op deze vraag vandaag.

Raptekst van Jarno Bent (artiestennaam: Ibarra), 17 jaar, jongerenwerker in opleiding. Geschreven en gepresenteerd ter gelegenheid van het congres 'Geen land mee te bezeilen? Over effectief werken met risicojongeren'. (Avans Hogeschool, 8 juni 2008)

Inhoud

Voorwoord

Battle zonder knokken. Talentcoaching van risicojongeren is geschreven ter afronding van het gelijknamige onderzoeksproject dat van september 2006 tot en met juni 2008 werd uitgevoerd binnen het lectoraat Jeugd en Veiligheid van het Expertisecentrum Veiligheid van Avans Hogeschool in 's-Hertogenbosch. Ik beschrijf in dit boek de resultaten van verkennend onderzoek naar mogelijkheden van een talentgerichte benadering in het werken met risicojongeren.

Het project was in meerdere opzichten een uitdaging. Bij de oprichting van het Expertisecentrum Veiligheid en de start van het lectoraat Jeugd en Veiligheid in september 2006 was het nog niet mogelijk voort te bouwen op een bestaande structuur, een vast omlijnd onderzoeksprogramma of een bestaand netwerk. Alles was nieuw en dat maakte het voor mij als beginnend docent-onderzoeker extra boeiend aan de slag te gaan en er helemaal voor te gaan. Het was voor mij een kans om me als docent te verdiepen in de werking van interventies die ik al ruim vijftien jaar doceer, namelijk creatief-agogische methoden. Daarbij was ik in het bijzonder nieuwsgierig naar de invloed van dit type interventies op gedragsverandering van risicojongeren. Gedurende de looptijd van twee jaar bleek er veel meer behoefte aan kennis en kunde over deze materie dan ik aanvankelijk had verwacht. Een steeds grotere groep mensen raakte dan ook betrokken bij het project. *Battle zonder knokken* heeft als project veel inzichten opgeleverd over de kansen die het concept 'talentcoaching' biedt én over de dilemma's die het werken met risicojongeren met zich meebrengt.

Ik dank via deze weg op de eerste plaats Ben Rovers, Lector Jeugd en Veiligheid, die mij de kans en de ruimte gaf me op een onderzoeksmatige manier te verdiepen in mijn werk en me op eigen wijze als onderzoeker te ontwikkelen. Op een aanstekelijke manier wist hij mijn nieuwsgierigheid naar onderzoek aan te wakkeren en hij deed mij geloven in het belang van mijn onderzoeksactiviteiten. Mijn doel is nu helder: door middel van promotieonderzoek hoop ik expert te worden op het gebied van talentcoaching van risicojongeren.

Ook anderen waren belangrijk tijdens het project: collega-onderzoekers, respondenten, leden van de klankbordgroep en collega's, vrienden en mijn familie, die mij steeds feedback gaven op resultaten, mij aanmoedigden en soms ook afremden. Naast Ingrid Hamels en Dirk van Haaren die als vierdejaars studenten van Avans betrokken waren bij de startfase van het onderzoek, dank ik vele collega's en studenten van de Academie voor Sociale Studies van Avans Hogeschool 's-Hertogenbosch en Breda, collega's van onderzoek- en praktijkcentrum Youth Spot van de Hogeschool van Amsterdam, alle sociale professionals uit de beroepspraktijk en hun managers voor hun betrokkenheid en kritische feedback en ten slotte uitgeverij SWP voor de prettige samenwerking in de laatste fase.

Met grote waardering dank ik de (ex-)risicojongeren die zo openhartig hun levensverhalen hebben verteld, waar ik immens veel van heb geleerd. Ik draag dit boek dan ook aan hen op.

Maike Kooijmans

Inleiding

Gedragsregulering van risicojongeren, jongeren die overlastgevend, antisociaal en delinquent gedrag vertonen, vindt op allerlei manieren plaats, zowel binnen de sociaal-agogische beroepspraktijk als binnen het justitiedomein. Er is veel discussie over hoe we moeilijke jongeren op het rechte pad moeten krijgen en houden, en wat daarbij effectieve interventies zijn. Ook jongerenwerkers worden steeds vaker geconfronteerd met jongeren die op de grens balanceren tussen hinderlijk (maar corrigeerbaar) gedrag en strafbaar overlastgevend gedrag. Deze jongeren zijn vaak al bekend bij de (justitiële) jeugdzorg, maar hoe dan ook verblijven zij veelal (voor en na detentie) op straat. Jongerenwerkers worden ingezet om deze jongeren te bereiken en te activeren via onder meer talentprojecten. Hoewel sociaal-agogische professionals gewend zijn te focussen op krachten en kansen van mensen, blijkt deze benaderingswijze in het werken met risicojongeren niet vanzelfsprekend, en binnen het justitiële veld zelfs vernieuwend te zijn. Meestal zijn risicofactoren, deficiënties of wangedrag uitgangspunten voor de aanpak.

In het project *Battle zonder knokken* hebben we onderzoek gedaan naar de invloed van talentgericht werken op het gedrag van deze jongeren. We stelden ons de vraag in hoeverre risicojongeren door talentprojecten succeservaringen kunnen opdoen, en of deze succeservaringen leiden tot gedragsverandering. Dit boek is het resultaat van het verkennend onderzoek, en is als volgt opgebouwd.
In hoofdstuk 1 wordt gestart met de introductie van het project. Ook komen hier de onderzoeksvragen en methoden van onderzoek aan bod.
In hoofdstuk 2 volgt de definiëring en afbakening van de doelgroep risicojongeren.
Vervolgens gaat hoofdstuk 3 over creatief-agogische talentprojecten en wordt nader ingegaan op talentontwikkeling en de definitie van het concept talentcoaching. Dit hoofdstuk eindigt met een overzicht van dertien geselecteerde talentprojecten in Nederland waarvan bekend is dat er risicojongeren aan hebben deelgenomen.
Hoofdstuk 4 is gewijd aan de betekenis en de psychologische effecten van succeservaringen in relatie tot gedrag van risicojongeren.

In hoofdstuk 5 wordt aan de hand van een analysemodel uitgelegd op welke manier sociale professionals als talentcoaches succeservaringen kunnen bevorderen.

In hoofdstuk 6 volgen antwoorden op de onderzoeksvragen en worden aanbevelingen geformuleerd voor de beroepspraktijk. In de slotparagraaf is er aandacht voor nieuwe kennisvragen die dit project heeft opgeleverd.

Het boek is primair geschreven voor studenten en professionals uit het sociaal-agogisch werkveld die zich in hun studie en/of werk richten op het begeleiden van probleem- en risicojongeren. Voor professionals uit het justitiële domein en uit het onderwijs is het eveneens een bruikbaar boek. Ook kan het voor beleidsmakers, kennis- en methodiekontwikkelaars een inspiratiebron zijn.

Risicojongeren die als respondenten betrokken waren, worden in het boek met fictieve namen geciteerd.

Hoofdstuk 1

Projectbeschrijving
Battle zonder Knokken

In dit hoofdstuk licht ik toe hoe het project *Battle zonder knokken* tot stand is gekomen en op welke manier er gewerkt is om antwoord te krijgen op de onderzoeksvragen.

In september 2006 is het Expertisecentrum Veiligheid van Avans Hogeschool opgericht voor het uitvoeren van praktijkgericht onderzoek op het gebied van (sociale) veiligheid. De doelstelling van het Expertisecentrum is bij te dragen aan kennisontwikkeling voor, door en met professionals in de beroepspraktijk van het brede veiligheidsveld.

Binnen het Expertisecentrum werken op dit moment vier lectoren samen die verbonden zijn aan de Academies voor Sociale Studies en Integrale Veiligheid van Avans Hogeschool en de Juridische Hogeschool van Avans en Fontys Hogescholen:

• Lector Jeugd en Veiligheid, Ben Rovers, verbonden aan de Academies voor Sociale Studies 's-Hertogenbosch en Breda.
• Lector Integrale Veiligheid, Hans Moors, verbonden aan de Academie voor Management en Bestuur (Integrale Veiligheid).
• Lector Reclassering, Bas Vogelvang, verbonden aan de Academies voor Sociale Studies 's-Hertogenbosch en Breda.
• Lector Veiligheid, Recht en Openbare Orde, Emile Kolthoff, verbonden aan de Juridische Hogeschool.

Samen met een kenniskring van docent-onderzoekers uit betrokken academies stellen de lectoren jaarlijks een onderzoeksprogramma samen en borgen ze dat de uitgevoerde onderzoeken voldoen aan wetenschappelijke criteria. In het brede onderzoekskader 2006-2009, *Interacties voor een veilige stad*, worden veiligheidsvraagstukken steeds vanuit meerdere perspectieven bestudeerd en worden de elkaar deels overlappende vakdisciplines op het domein 'veiligheid' samengebracht (Rovers & Moors, 2007).

Het project *Battle zonder knokken* kwam voort uit dit onderzoekskader en is ontwikkeld vanuit de onderzoekslijn werken met risicojongeren van het lectoraat Jeugd en Veiligheid.

1.1 Aanleiding tot het onderzoek

Als docent en ontwikkelaar van creatief-agogische methodieken en als theatermaker ben ik de afgelopen vijftien jaar steeds op zoek geweest naar mogelijkheden om kunst, creativiteit en expressie in te zetten als een middel bij veranderingsprocessen. Binnen de opleidingen van de Brede Bachelor Social Work was ik betrokken bij de ontwikkeling van de Major Creatief Agogisch Werk waar studenten leren hoe je muzische middelen, de verzamelnaam voor creatieve, expressieve en kunstzinnige activiteiten, kunt inzetten binnen het agogisch, veranderkundig proces van hulp- en dienstverlening.

In mijn werk binnen de jeugdhulpverlening, het jongerenwerk en binnen het amateurtheater kwam ik met allerlei doelgroepen in aanraking. Voor een aantal groepen was toneelspelen en theater maken het doel van de interventie, dus was de begeleiding primair gericht op het aanleren van het kunstvak. Andere groepen die ik in mijn werk tegenkwam, hadden een bepaalde hulpvraag en in het werken met hen gebruikte ik toneel, muziek en dans als een middel in de begeleiding. Ik creëerde en arrangeerde een theaterwerkplaats, een spellaboratorium, waar deelnemers zich op een andere manier dan via de verbale weg konden uiten en waar geëxperimenteerd kon worden met ander gedrag.

Hoewel ik met veel uiteenlopende groepen en mensen te maken kreeg bespeurde ik ook overeenkomsten in mijn aanpak. Het leerrendement van alle groepen bleek vele malen hoger als ik een omgeving creëerde waarbinnen mensen succes konden ervaren. Dit sleutelwoord, *succeservaring*, is geen eenduidig gegeven. Elk individu moet op een eigen manier uitgedaagd worden en heeft daarbij andere prikkels nodig. Steeds moet weer gezocht worden naar een juiste balans tussen uitdagen en begrenzen, tussen vrijheid en discipline, tussen intrinsieke en extrinsieke motivatie.

In de loop der jaren verdiepte ik me in speltheorieën, vooral vanuit psychologisch perspectief, om ook vanuit de literatuur wijzer te worden over betekenis en functie van creatieve middelen in het agogisch werk. Ik was onder andere gefascineerd door de theorie over *flow*, een studie naar *optimale ervaringen* van mensen wanneer ze ergens helemaal in opgaan, omdat de uitdaging het uiterste van iemands kunnen vraagt (Csikszentmihalyi, 1999). Ik wilde weten in hoeverre je als agoog flow kunt beïnvloeden, kunt stimuleren, en wat de effecten daarvan zijn op het gedrag, het functioneren en de persoonlijke groei van mensen (en jongeren in het bijzonder).

Vanaf september 2006 werk ik als docent-onderzoeker in het Expertisecentrum Veiligheid van Avans Hogeschool, als lid van de kenniskring Jeugd en Veiligheid van lector Ben Rovers. Binnen het lectoraat Jeugd en Veiligheid zijn we geïnteresseerd in de effectiviteit van sociaal-agogische interventies in het werken met risicojongeren. We willen kennis genereren, spreiden en delen om bij te dragen aan vraagstukken op het gebied van jeugdcriminaliteit. Hoe kun je probleemgedrag en antisociaal en overlastgevend gedrag van risicojongeren voorkomen en/of beheersen? Uiteraard was ook dit een uitgangspunt bij de ideevorming van het onderzoek.

De titel *Battle zonder knokken* is geïnspireerd op een filmdocumentaire van clipregisseur David LaChapelle. In zijn filmdebuut *Rize* (2005) laat hij zien hoe een groep jongeren in de sloppenwijken van Los Angeles spanning en agressie kwijtraken door *Krumping*, een hyperenergieke dansvorm waarin clownerie en Afrikaanse Tribal-dance elkaar ontmoeten.
In de film vertellen jongeren over hun dagelijkse problemen en hoe ze door te dansen op het rechte pad blijven. Op parkeerterreinen ontstaan *dancebattles* tussen Clowns en Krumpers en al snel verplaatsen de wedstrijden zich naar sporthallen met uitzinnig publiek. Het bekijken en daarna bestuderen van deze filmdocumentaire leverde mij het idee op voor mijn onderzoek in het lectoraat Jeugd en Veiligheid. In de documentaire kwamen alle aspecten aan bod die mij deden geloven in mijn onderzoeksidee. De jongeren in de film vertellen over het ontwikkelingsproces dat ze hebben doorgemaakt en over hun succeservaringen. Zij moesten zich enorm inspannen om het dansen onder de knie te krijgen en er steeds beter in te worden. De dansers geven zelf aan dat zij hierdoor een ander leven hebben opgebouwd en uit de criminaliteit zijn geraakt. Dit fenomeen wilde ik graag onderzoeken bij risicojongeren in Nederland. Ik wilde succeservaringen van risicojongeren onderzoeken binnen creatief-agogische talentprojecten en de effecten daarvan in kaart brengen.

Als je bijna verdrinkt en er drijft alleen maar een plank ... dan grijp je die plank.
En dit was onze plank. We dreven weg op die plank, en hebben er een schip mee gebouwd. We zullen de dans- en kunstwereld binnenzeilen.
We zullen ze overrompelen, want we geloven hierin. Dit is geen modeverschijnsel.
(Citaat uit de film Rize, 2005)

1.2 Algemene onderzoeksvraag en deelvragen

Battle zonder knokken is een verkennend onderzoeksproject om succeservaringen binnen creatief-agogische (talent)projecten te onderzoeken en de mogelijke effecten daarvan op delinquent gedrag in kaart te brengen.

De algemene onderzoeksvraag luidt:

Welke factoren binnen creatief-agogische talentprojecten bevorderen succeservaringen bij risicojongeren en wat kunnen de effecten daarvan zijn op delinquent gedrag?

Deelvragen zijn:
1. Wat zijn risicojongeren?
2. Wat zijn risicofactoren en wat zijn beschermende factoren in relatie tot delinquent gedrag van risicojongeren?
3. Wat zijn de kenmerken van creatief-agogische talentprojecten die we onderzoeken?
4. Wat zijn succeservaringen en wat is er bekend over de effecten van succes op gedragsverandering in het algemeen?
5. In hoeverre hebben succeservaringen invloed op het uitblijven van delinquent gedrag van risicojongeren (bijvoorbeeld op recidive)?
6. Hoe kunnen creatief-agogische professionals succeservaringen bij risicojongeren bevorderen?

1.3 Uitvoering van het onderzoek

Het onderzoek duurde twee jaar (september 2006 – september 2008) en is uitgevoerd in samenwerking met studenten van de Academie voor Sociale Studies van Avans Hogeschool 's-Hertogenbosch.
Het projectteam bestond uit de volgende personen:
• Maike Kooijmans, docent-onderzoeker en lid van de kenniskring Jeugd en Veiligheid in de rol van projectleider.
• Ingrid Hamels, vierdejaars student Culturele Maatschappelijke Vorming (CMV) van de Academie Sociale Studies van Avans Hogeschool, in het kader van haar afstudeerproject.
• Dirk van Haren, vierdejaars student Sociaal Pedagogische Hulpverlening (SPH) van de Academie Sociale Studies van Avans Hogeschool, betrokken bij het vooronderzoek in het kader van verkenning afstuderen.
• Ben Rovers, lector Jeugd en Veiligheid, in de rol van projectbegeleider bewaker van de kwaliteit en de voortgang van het onderzoek.

Er is sprake van exploratief, dus verkennend onderzoek met behulp van de volgende onderzoeksmethoden:

- *Literatuurstudie.* Om een antwoord te krijgen op de algemene kennis-vragen van het onderzoek is literatuur bestudeerd op het gebied van de psychologie, sociaal-agogische en creatief-agogische vakliteratuur en criminologische literatuur.
- *Documentstudie.* Om in kaart te brengen welke talentprojecten er in Nederland zijn en volgens welke methodieken er wordt gewerkt, zijn verschillende documenten bestudeerd. Ook zijn diverse nota's doorgenomen op het gebied van jeugdbeleid, zowel nationaal als regionaal.
- *Mediastudie (documentaires).* Er zijn diverse documentaires bekeken die gemaakt zijn naar aanleiding van talentprojecten, maar ook andere documentaires met als thema's straatcultuur en jeugdcriminaliteit.
- *Praktijkscan.* Er zijn twintig talentprojecten gescout, waarvan tien projecten zijn bezocht door leden van de projectgroep.
- *Praktijkonderzoek.* Er zijn zeven diepte-interviews met jongeren uit de doelgroep afgenomen en vijf interviews met begeleiders van risicojongeren om antwoord te krijgen op het tot stand komen van succeservaringen en de effecten ervan.
- *Focusgroepen.* Er hebben vier bijeenkomsten plaatsgevonden met professionals uit de beroepspraktijk die met risicojongeren werken (docenten en studenten van de Academies voor Sociale Studies van Avans Hogeschool). De bijeenkomsten hadden als doel feedback te krijgen op het onderzoeksdesign, op de tussenresultaten en op het eindresultaat.

Hoofdstuk 2

Risicojongeren

Dit hoofdstuk gaat over de doelgroep risicojongeren. Wat zijn risicojongeren? Hoe wordt de doelgroep in het algemeen gedefinieerd? Om welke jongeren gaat het in het onderzoek? Wat is er binnen de criminologische literatuur bekend over risicofactoren en beschermende factoren in relatie tot delinquent gedrag? In hoeverre kunnen deze inzichten worden toegepast in het werken met risicojongeren?

2.1 Wat zijn risicojongeren?

Een algemene definitie luidt:

> Risicojongeren zijn jongeren die binnen onze samenleving overlast veroorzaken, antisociaal zijn en ook op enig moment als crimineel of delinquent worden gedefinieerd. We hebben het over jongeren voor wie de stap naar criminaliteit verleidelijk is, onomkeerbaar, of zelfs noodzakelijk lijkt. (Kooijmans, 2006)

De naam *risicojongeren* wordt de laatste jaren steeds vaker gebruikt als aanduiding voor deze doelgroep, binnen Nederland, maar ook internationaal. Er wordt gesproken en gepubliceerd over *youth at risk, jeunesse à risque* en *Risiko Jugendlichen*, wat doet vermoeden dat er een onderlinge afstemming is bereikt over de kenmerken en zelfs naamgeving van een internationaal herkenbare en erkende doelgroep. Toch moeten we vaststellen dat het begrip risicojongeren een containerbegrip is en dat elke context waarbinnen met risicojongeren wordt gewerkt weer om een eigen afbakening vraagt.

In het lectoraat Jeugd en Veiligheid van Avans Hogeschool werd de afgelopen twee jaar gewerkt aan een onderzoeksproject (*Werken met risicojongeren*) dat resulteerde in een landelijk congres *Geen land mee te bezeilen?* over effectief werken met risicojongeren en een handboek voor sociale professionals *Werken met risicojongeren* (Rovers & Kooijmans, 2008) (www.werkenmetrisicojongeren.nl). Voor dit project werd de definitie van de doelgroep bewust heel breed geformuleerd:

> Wij definiëren iemand als een risicojongere wanneer deze gedrag vertoont dat sociaal-maatschappelijk als overlastgevend of ongewenst wordt beschouwd en op enig moment ook als delinquent/crimineel kan worden gedefinieerd (bijvoorbeeld in het kader van het Strafrecht, na het twaalfde jaar). We maken hierbij onderscheid tussen verschillende leeftijdsgroepen: kinderen, tieners en jongvolwassenen. Het problematisch gedrag kent in elk van deze leeftijdsgroepen weer andere accenten.
> (Rovers & Kooijmans, 2008)

De aard van de problematiek van de groep risicojongeren, en ook de ernst ervan, kan zeer uiteenlopend zijn. Er wordt gesproken over jongeren die dreigen te ontsporen, maar die zich redelijk kunnen handhaven, én over jongeren die een criminele carrière hebben opgebouwd. Over jongeren waarvan we kunnen zeggen dat het gedrag sterk te maken heeft met leeftijdsgebonden factoren én over jongeren met ernstige gedragsproblematiek, leerproblemen of psychiatrische problematiek. Ook jongeren bij wie een licht verstandelijk handicap oorzaak is van de problematiek (LVG-jongeren) worden beschouwd als risicojongeren.

Algemene kenmerken

Risicojongeren hebben vaak geen startkwalificaties of diploma's omdat ze vroegtijdig hun schoolloopbaan afgebroken hebben. Daardoor hebben ze weinig perspectief op de arbeidsmarkt. Het ontbreekt hen aan motivatie om zich in te spannen om te voldoen aan de maatschappelijke en justitiële norm van gewenst gedrag (Klomp e.a., 2004). Vaak hebben zij minimale sociale vaardigheden ontwikkeld om relaties aan te gaan en te onderhouden. Over het algemeen hebben ze moeite gezag te accepteren van ouders, vervangende opvoeders, leerkrachten, politiemedewerkers en andere autoriteiten (Komen, 2005).

Deze jongeren hangen veel rond op straat en hebben moeite met het vinden van een zinvolle dagbesteding en met het invullen van (veel) vrije tijd (RMO, 2008). Ze opereren vaak in groepsverband omdat ze zich aangetrokken tot en zich loyaal voelen met jongeren uit de *peergroup*. Veel risicojongeren hebben een laag zelfbeeld en gebrek aan zelfvertrouwen en zelfrespect (Hermes e.a., 2007).

Een groot percentage van deze jongeren heeft weinig basis als het gaat om de thuissituatie. Niet zelden komen zij uit instabiele gezinnen met complexe, meervoudige problematiek. Denk aan gezinnen die in armoede leven, gescheiden ouders, ouders met bijvoorbeeld psychiatrische en/of verslavingsproblematiek. De gezinnen zijn soms al in beeld bij Bureau Jeugdzorg, maar lang niet altijd. Veel jongeren hebben al een of meerdere trajecten doorlopen binnen de jeugdhulpverlening. Het aantal risicojongeren is in achterstandswijken, waar zij meestal groepsgewijs opereren, relatief groter. We zien dat deze jongeren vaak drugs en bovenmatig alcohol gebruiken. Bovendien hebben zij vaak financiële problemen en ze hebben al op jonge leeftijd grote schulden opgebouwd (Jacobs e.a., 2006). In de regel zijn zij bekend bij justitie en politie of staan zij binnen onderwijsinstellingen en/of instellingen voor jeugdzorg te boek als respectievelijk 'zorgleerlingen' of 'probleemjongeren'.

Ontwikkeling van jeugdcriminaliteit

Maatschappelijk gezien lijkt er sprake van een algemene paniekstemming dat het de verkeerde kant op gaat met de jeugd (Weijers & Eliaerts, 2008). In de samenleving leeft het beeld dat de jeugdcriminaliteit de afgelopen jaren sterk is toegenomen, zowel in omvang als in ernst van de delicten. Ook wordt door de media het signaal afgegeven dat jeugdigen op steeds jongere leeftijd delinquent gedrag vertonen. Criminologisch onderzoek relativeert deze beelden door cijfermatig aan te tonen dat de omvang van jeugdcriminaliteit de afgelopen tien tot vijftien jaar redelijk constant is gebleven (Eliaerts, 2006; Van der Laan & Blom, 2006). Om over de ontwikkeling van de jeugdcriminaliteit iets te kunnen zeggen, kun je de cijfers inzien die de politie, het Openbaar Ministerie en de jeugdrechtbank bijhouden, gegevens opdiepen uit zelfrapportages onder jongeren en slachtofferenquêtes raadplegen. De media en de politiek hebben de neiging zich enkel te baseren op politiecijfers, en inderdaad schieten deze geregistreerde criminaliteitscijfers fors de hoogte in en ook de geregistreerde jeugdcriminaliteit stijgt continu. In 2002 werden er 3,6 processen-verbaal opgemaakt per 100 jongeren tussen de 12 en 17 jaar. In 2006 zijn dat er 4,4 (Blom & Van der Laan, 2007).

Toch zeggen politiecijfers betrekkelijk weinig over de werkelijke toename en aard van jeugdcriminaliteit omdat ze sterk beïnvloed worden door de meldingsbereidheid van getuigen en slachtoffers (uit angst voor represailles wordt vaak afgezien van melding of aangifte). Ook de mate waarin het lukt delicten van jongeren op te helderen heeft invloed op de registratie en dus op de cijfers. Straatcriminaliteit is zichtbaar, dus is de kans dit type delicten (vaak kleine criminaliteit) op te sporen groter dan strafbare feiten die minder zichtbaar zijn, zoals gewelds- en vermogensdelicten.

De belangrijkste conclusie uit zelfrapportageonderzoeken en slachtofferenquêtes onder jongeren is dat jeugdcriminaliteit redelijk stabiel is en dat het door de tijd heen om eenzelfde percentage jongeren gaat dat strafbare feiten pleegt (Weijers & Eliaerts, 2008).

De balans

Hoewel het lastig is om de ontwikkeling van jeugdcriminaliteit in harde cijfers uit te drukken, is het wel een gegeven dat de jeugdcriminaliteit zich heeft verhard. Jongeren maken zich vaker schuldig aan geweldscriminaliteit (Van der Laan, 2008). Ook laten onderzoeken zien dat de jeugdcriminaliteit onder meisjes stijgt (Jacobs e.a., 2006). Wat betreft etniciteit valt op dat de politie vaker processen-verbaal (pv's) opmaakt bij allochtone jongeren. Sommige groepen zijn oververtegenwoordigd. In 2006 registreerde de politie 3,2 pv's per 100 autochtone jongeren en 8,1 pv's per 100 allochtone jongeren tussen de 12 en 17 jaar. In steden met meer dan 250.000 inwoners is er ruim twee keer zo veel geregistreerde jeugdcriminaliteit dan in steden met minder dan 50.000 inwoners (Blom & Van der Laan, 2007).

Het justitiële klimaat ten aanzien van minderjarigen is punitiever geworden. Behalve dat meer jongeren een proces-verbaal krijgen, seponeert het Openbaar Ministerie minder zaken en worden meer jeugdigen vervolgd (Van der Laan, 2008). Wat betreft het politieke en publieke debat is ook een duidelijke verharding zichtbaar. Men is delinquente jongeren – veelplegers in het bijzonder – meer dan zat. Er wordt op allerlei manieren geprobeerd in te grijpen: ruimere mogelijkheden voor voorlopige hechtenis, striktere tenuitvoerlegging van vervangende detentie, verplichte nazorg en verplichte opvoedingsondersteuning voor ouders zijn daar voorbeelden van.

Een indeling

De doelgroep risicojongeren vraagt om een nadere indeling op grond van specifieke kenmerken. Elke beroepsgroep kijkt met een andere bril naar de doelgroep en komt dan ook tot een andere ordening. Onderstaande indeling, die veel wordt gebruikt door de politie, is gemaakt door de criminoloog Ferweda op grond van een justitiële focus (Gemeente Amsterdam, Afdeling Openbare Orde en Veiligheid, 2007). Bij deze ordening worden jongeren en groepen jongeren ingedeeld op grond van het plegen van criminele feiten, zowel naar ernst als omvang:

First offenders

- *Definitie*: jongeren tot 18 jaar tegen wie niet eerder een proces-verbaal is opgemaakt.
- *Kenmerken*: spijbelgedrag, jong, lichte strafbare feiten, gezinsproblematiek, gemêleerde groep.

Licht criminelen

- *Definitie*: jongeren tot 18 jaar tegen wie minimaal twee keer een proces-verbaal is opgemaakt en die niet binnen de overige groepen vallen.
- *Kenmerken*: potentieel harde kerner, veelvuldig softdrugsgebruik, geen zware strafbare feiten, vatbaar voor resocialisatie, gedrags- en persoonlijkheidsstoornissen, gezinsproblematiek, schooluitval, werkloosheid.

Harde kerners

- *Definitie:* jongeren tot 25 jaar die in het peiljaar twee zware delicten hebben gepleegd en bovendien in de jaren daarvoor drie antecedenten hebben of jongeren die in het peiljaar ten minste drie zware delicten hebben gepleegd en minimaal één keer veroordeeld zijn door de rechter of officierstransactie.
- *Kenmerken:* alle soorten delicten, veel geweld, onduidelijk delictspatroon, wisselende groep, verslaafd aan softdrugs, relatief hoge etnische component, gedrags- en persoonlijkheidsstoornissen, verstoorde thuissituatie, geen diploma, geen regulier werk.

Problematische jeugdgroepen

Ook problematische jeugdgroepen kunnen worden onderscheiden. De volgende indeling is gemaakt door de criminoloog Beke en wordt ook wel de Beke-Shortlist genoemd (Ferweda & Kloosterman, 2007). Een problematische groep is een groep die bestaat uit meerdere jongeren (minimaal drie) die hinderlijk, overlastgevend en/of crimineel gedrag vertonen. Deze groep bestaat uit een mix van risicojongeren uit de bovengenoemde doelgroepen.

De politie brengt de problematische jeugdgroepen in kaart. Dit resulteert in een typering van de groepen in een van de volgende categorieën:

Hinderlijke jeugdgroep

Kenmerken: vervelend rondhangen, luidruchtig, negeren van de omgeving, kleine schermutselingen en vernielingen, af en toe plegen leden van de groep lichte gewelds- en vermogensdelicten, autoriteitsgevoelig, aanspreekbaar op gedrag.

Overlastgevende jeugdgroep

Kenmerken: nadrukkelijk aanwezig, provocerend optreden, schelden en intimideren van bewoners, niet aanspreekbaar op gedrag, af en toe geweldsgebruik, lichtere vormen van criminaliteit.

Criminele jeugdgroep

Kenmerken: aantal leden van deze groep is crimineel en pleegt (ernstige) strafbare feiten, is gericht op financieel gewin en maakt veelvuldig gebruik van geweld.

Deze indeling, wederom met een justitiële focus, wordt methodisch gebruikt (door de politie, maar ook door bijvoorbeeld jongerenwerkers) om overlastgevend en crimineel gedrag van groepen jongeren in kaart te brengen. Als je vanuit sociaal-(ped)agogisch perspectief naar de doelgroep risicojongeren kijkt, kom je soms op een andere ordening uit. Dan zijn niet de criminologische gedragskenmerken leidend voor de ordening, maar bijvoorbeeld de aard of oorzaak van het probleemgedrag.

Binnen de ontwikkelings- en levensloopcriminologie wordt studie gedaan naar het verloop van criminele carrières. Studies van onder anderen Moffit en Loeber hebben veel inzicht gegeven in leeftijdsgebonden criminaliteit en het ontwikkelen van criminele carrières gedurende een mensenleven (Donker e.a., 2004). Vaak heeft jeugdcriminaliteit een relatie met een bepaalde leeftijd, vanwege de adolescentiefase waarin de behoefte om te experimenteren en grenzen op te zoeken groot is. Criminaliteitsstatistieken laten steevast een piek zien in de adolescentie, rond het zeventiende of achttiende levensjaar (De Wit, 2007). Ook kan delinquent gedrag het gevolg zijn van een gedragsstoornis. Probleemgedrag en gedragsstoornissen worden vaak onderverdeeld in twee categorieën: internaliserend en externaliserend probleemgedrag. Internaliserende problemen gaan gepaard met innerlijke onrust. Soms is die onrust voor anderen zichtbaar, maar lang niet altijd. Met externaliserende problemen worden problemen bedoeld die gepaard gaan met conflicten met anderen of met de maatschappij als geheel. Bij risicojongeren is er vaak sprake van externaliserend probleemgedrag (De Wit, 2007). Ik wil hier twee stoornissen noemen die nauw aan de adolescentie zijn gerelateerd en gepaard gaan met delinquentie (American Psychiatric Association, 1994):

1. De oppositioneel-opstandige gedragsstoornis (afgekort ODD, naar de Engelse term Oppositional Defiant Disorder) kenmerkt zich door een terugkerend patroon van negativistisch, opstandig, ongehoorzaam en vijandig gedrag tegenover autoriteitsfiguren, met disfunctioneren tot gevolg.
2. De antisociale gedragsstoornis (afgekort CD, naar Conduct Disorder) is een zich herhalend en duurzaam gedragspatroon waarbij de grondrechten van anderen en belangrijke sociale normen en regels worden overtreden.

2.2 Sociaal-agogische professionals en risicojongeren

Sociaal-agogische professionals vormen in de samenleving een belangrijke toegangspoort tot risicojongeren (Rovers & Kooijmans, 2008). Als we de beroepspraktijk van sociaal-agogische professionals onder de loep nemen, zien we dat zij zowel binnen een justitiële context als binnen niet-justitiële settingen actief zijn. De zeer uiteenlopende interventies zijn globaal in te delen in een repressieve, een curatieve en een preventieve aanpak.

Gedwongen kader
Binnen de justitiële context heeft de kinderrechter een bepaalde strafmaatregel, een justitiële interventie, opgelegd. We spreken daarom over werken in een 'gedwongen kader' waarbij het accent vooral op repressie ligt. Door een strafmaatregel probeert men het gedrag van de delinquente jongeren te beheersen.

Voorbeelden van sociaal-agogische professionals binnen deze setting zijn:

- medewerkers bij de Raad voor de Kinderbescherming;
- jeugdreclasseringsmedewerkers;
- medewerkers van Bureau HALT;
- sociaal-agogische professionals binnen justitiële jeugdinrichtingen (JJI's);
- sociaal-agogische professionals binnen gesloten jeugdpsychiatrische instellingen (gesloten justitiële jeugdzorg, Jeugdzorg Plus).

Vrijwillige hulpverlening

Binnen niet-justitiële settingen is de interventie niet als dwang opgelegd, maar hebben jongeren zelf (of hun ouders) om hulp gevraagd of is hen hulp geadviseerd. Sociaal-agogische professionals interveniëren binnen dit vrijwillige kader van hulp- en dienstverlening en zijn gericht op begeleiding en/of behandeling van jeugdige delinquenten via curatieve interventies.
Voorbeelden:

- medewerkers van Bureau Jeugdzorg;
- medewerkers van de Centra voor Jeugd en Gezin;
- algemeen maatschappelijk werkers en schoolmaatschappelijk werkers;
- opvoedingsondersteuners;
- streetcorner-workers;
- pedagogisch werkers binnen residentiële instellingen voor jeugdhulpverlening, jeugdpsychiatrie, verslavingszorg, licht verstandelijk gehandicaptenzorg, geïndiceerde jeugdzorg enzovoort.

Preventieve dienstverlening

Een derde groep bestaat uit sociaal-agogische professionals die niet zozeer als hulpverleners opereren, maar actief zijn in het kader van sociaal-culturele activering. Zij hebben een functie in het kader van signalering, preventie en het bevorderen van participatie en reïntegratie van risicojongeren. De interventies van deze professionals hebben overwegend een preventief karakter, waarmee men jeugdcriminaliteit probeert te voorkomen.
Voorbeelden:

- jongerenwerkers;
- straatwerkers (ambulant jongerenwerkers);
- opbouwwerkers;
- sportbuurtwerkers.

2.3 Risicofactoren en beschermende factoren in het werken met risicojongeren

Criminologische theorieën kunnen ondersteunend zijn bij het zoeken naar oorzaken en trends van jeugdcriminaliteit. Kennis over ontwikkeling van crimineel gedrag en inzichten in risicofactoren en beschermingsfactoren die het verloop van criminele carrières verklaren, bieden legio aanknopingspunten voor preventie- en interventieactiviteiten (Donker e.a., 2004). In deze paragraaf neem ik eerst een aantal criminologische theorieën onder de loep die verklaren waarom mensen delinquent gedrag vertonen. Vervolgens introduceer ik de levensloopcriminologie, een jonge stroming binnen de criminologie die levensloppatronen van individuen bestudeert en verbanden legt tussen levensloop en criminaliteit. Wetenschappers binnen deze stroming hebben risicofactoren in kaart gebracht die criminaliteit van personen kunnen voorspellen. Ten slotte ga ik in op beschermende factoren in relatie tot het ontwikkelen van delinquent gedrag en hoe deze factoren uitgangspunt kunnen zijn voor professioneel handelen.

Causaliteitstheorieën

Overzichtsstudies over achtergronden en oorzaken van criminaliteit geven goed weer hoe verschillend en complementair er gedacht wordt over de causaliteit van delinquent gedrag. We zien binnen de criminologische literatuur verklaringen van criminaliteit op drie niveaus: verklaringen van crimineel gedrag op individueel niveau, verklaringen op groepsniveau en verklaringen op het niveau van de samenleving.

Ik ga kort in op de meest bekende criminologische causaliteitstheorieën (Jacobs e.a., 2006):

- De *sociobiologische criminologie* bestudeert de relatie tussen aangeboren fysieke kenmerken en criminaliteit, en bijvoorbeeld de invloed van voeding op crimineel gedrag. Zo wijst Amerikaans onderzoek uit dat de afwezigheid van bepaalde B-vitaminen invloed heeft op crimineel gedrag.
- De *forensische psychiatrie, psychologische criminologie* en *psychopathologie* trachten inzicht te verschaffen in psychiatrische achtergronden, gedragsstoornissen en persoonlijkheidskenmerken in relatie tot crimineel gedrag.
- Binnen de *differentiële associatietheorie* wordt crimineel gedrag als aangeleerd gedrag gezien.
- Binnen de *radicale of kritische criminologie* wordt criminaliteit gezien als een product van het kapitalistische productiesysteem. Criminaliteit ontstaat aan de onderkant van de maatschappij als een vorm van verzet tegen machtsongelijkheid.
- De *straintheorie* ziet criminaliteit als een uiting van spanning en protest wanneer gestelde doelen niet bereikt kunnen worden met de in de samenleving bereikbare middelen. Doelen zijn dan vooral gewin (financieel) en status (presteren en uitblinken).
- *Sociale controle theorieën* (bijvoorbeeld de bindingstheorie van Hirschi) zien criminaliteit als het resultaat van het uitblijven van speciale controlerende krachten die mensen ervan weerhouden crimineel gedrag te vertonen (Vold e.a., 2002). Of mensen zich al dan niet aan de wet houden is afhankelijk van de affectieve en relationele banden die ze met hun sociale omgeving hebben.

Risicofactoren

In de internationale criminologie is de *ontwikkelings- en levensloopcriminologie* sterk in opkomst (Donker e.a., 2004). Binnen deze stroming wordt meer dan elders onderzoek gedaan naar criminaliteitspatronen die met leeftijd samenvallen. Deze studies richten zich op drie belangrijke thema's:

1. de ontwikkeling van crimineel en antisociaal gedrag en de hierop inhakende preventiemethoden;
2. de risicofactoren, op verschillende leeftijden, voor de ontwikkeling van criminele carrières;
3. de effecten van gebeurtenissen tijdens de levensloop op het verloop van criminele carrières.

In de ontwikkelingscriminologie worden oorzaken voor crimineel gedrag gezocht binnen de bredere ontwikkeling van kinderen tijdens het opgroeien (Leblanc & Loeber, 1998). Het betreft ontwikkelingen op psychologisch, pedagogisch, didactisch en sociaal terrein. Om een goed beeld te krijgen, worden vaak ontwikkelingsgegevens aangevuld met objectieve maatschappelijke en biologische factoren. Persoonsgebonden factoren (intelligentie, leeftijd enzovoort) maar ook niet-persoonsgebonden factoren en omgevingsfactoren (verhuizing, echtscheiding van ouders enzovoort) kunnen een belangrijke rol spelen bij de ontwikkeling van crimineel gedrag.

Loeber e.a. (1999) laten op basis van longitudinaal onderzoek drie trajecten zien die een jongere kan doorlopen en die kunnen leiden tot ernstig crimineel gedrag:

1. een traject dat begint met openlijk probleemgedrag (agressie, oppositie, pestgedrag enzovoort) kan leiden tot gewelddadig gedrag, zoals verkrachtingen en berovingen;
2. een traject dat begint met heimelijk probleemgedrag (diefstal, veel liegen enzovoort) kan leiden tot ernstige misdaad zoals fraude, autodiefstal en inbraken;
3. een traject dat begint met autoriteitsconflicten voor het twaalfde jaar kan leiden tot het vermijden van autoriteitspersonen, spijbelgedrag en bijvoorbeeld wegloopgedrag.

Jongeren kunnen meerdere trajecten tegelijk doorlopen en hoe vroeger de problemen beginnen, hoe groter de kans dat een jongere het meest ernstige niveau bereikt.

Sinds de jaren tachtig zien we binnen de levensloopcriminologie publicaties over risicofactoren en beschermende factoren die de ontwikkeling van jeugdcriminaliteit het beste verklaren. Een risicofactor is gedefinieerd als een factor die een hoge waarschijnlijkheid voorspelt van een ongewenste uitkomst, zoals criminaliteit. Een beschermende factor is een factor die een lage waarschijnlijkheid van een dergelijke uitkomst voorspelt (Van Leeuwen e.a., 2001).

Uit onderzoeken blijkt dat dergelijke factoren voorkomen in het individu, het gezin, leeftijdsgenoten, scholen, woonomgeving en media (Loeber & Farrington, 1998). Stouthamer-Loeber e.a. (1998) onderzochten circa veertig factoren, geordend in vijf domeinen:

1. individueel hinderlijk gedrag, zoals aandachtsproblemen;
2. hinderlijke attitudes, zoals een slechte scholingsmotivatie;
3. gezinsfactoren, waaronder gebrekkig ouderlijk toezicht;
4. factoren vanuit leeftijdsgenoten, zoals omgang met gedragsafwijkende leeftijdsgenoten;
5. factoren vanuit de woonomgeving, zoals het wonen in een criminele buurt.

Probleemgedrag ontstaat door een samenspel van een groot aantal factoren binnen jongeren zelf (bijvoorbeeld intelligentie of temperament), in hun directe sociale omgeving (bijvoorbeeld gezin, leeftijdsgenoten) en in hun bredere sociale omgeving (bijvoorbeeld slechte huisvesting, geweld in de woonomgeving).

Het valt op dat binnen de criminologische literatuur de focus vooral ligt op onderzoek naar risicofactoren en veel minder op beschermende factoren. Ook in de praktijk zie je dat veel interventiemethoden (repressieve, curatieve en preventieve interventies) ontworpen zijn om risicofactoren aan te pakken.

Beschermende factoren

Beschermingsfactoren, ook wel protectieve factoren genoemd, zijn minder vaak primair uitgangspunt voor de ontwikkeling van interventies. In het Nederlandse jeugdbeleid en binnen de Nederlandse samenleving is een overwegende oriëntatie op risicofactoren te bespeuren. Binnen de sociale wetenschappen is er echter in toenemende mate aandacht voor beschermende factoren. Ten Brink en Veerman (1998) definiëren beschermende factoren als volgt: 'Protectieve factoren zijn factoren die samengaan met een verminderde kans op het vertonen van antisociaal gedrag, gegeven de aanwezigheid van een onderkend risico.'

Een meer kansgedreven, op de positieve factoren gericht beleid, is minder duidelijk geformuleerd terwijl het voor de hand ligt om ook die factoren te bevorderen die bijdragen aan een positieve ontwikkeling, gezond opgroeien en welbevinden (Nuytiens e.a., 2007). Sinds ongeveer vijftien jaar is een nieuwe theoretische ontwikkeling binnen de criminologische wetenschap gaande, die op dit moment binnen onze Angelsaksische buurlanden en de VS, en sinds kort ook in Nederland, aan terrein wint: de *desistance*-benadering (Claessens, 2006). *Desistance* betekent letterlijk: stoppen met criminaliteit. In deze theorie ligt de focus juist op factoren die positief bijdragen aan het proces van stoppen met een criminele carrière: beschermende factoren dus. De Schotse onderzoeker McNeill (2008) geeft aan dat het versterken van zowel humaan kapitaal (vaardigheden en handelingsmogelijkheden waarover een jongere beschikt) als sociaal kapitaal (een stimulerend nieuw netwerk) belangrijke beschermende factoren zijn. Maruna (2001) zegt dat stoppen met criminaliteit alleen kan als de persoon in kwestie intrinsiek gemotiveerd is en uitgedaagd wordt op zijn kracht.

Focus op talent

Het onderzoek *Battle zonder knokken* wil zich richten op projecten waarbij juist beschermende factoren het uitgangspunt voor de interventies zijn. De praktijken die onderzocht werden tijdens het project zijn niet gericht op tekortkomingen en het antisociale gedrag van jongeren, maar juist op de potenties en talenten van risicojongeren. Hun ambities, dromen en behoefte aan positieve aandacht zijn te beschouwen als beschermende factoren waarop de interventies zijn gericht. Er wordt gezocht naar mogelijkheden om aan te sluiten bij beschermende elementen uit de leefwerelden van jongeren. Dit kunnen elementen zijn binnen of buiten het individu.

In de beroepspraktijk zijn het vooral jongerenwerkers, straathoekwerkers, sportbuurtwerkers, creatief-agogisch werkers en sociaal-pedagogisch werkers die vanuit een talentgerichte benadering met risicojongeren werken. De agogische interventies zijn gericht op begeleiding van deze jongeren met het doel hen te activeren en hen te begeleiden in hun ontwikkelingsproces naar zelfregulatie en zelfontplooiing.

In paragraaf 2.4 bespreek ik de afbakening van de doelgroep risicojongeren in het onderzoeksproject.

2.4 Over welke risicojongeren gaat dit onderzoek?

In het onderzoeksproject *Battle zonder knokken* hebben we niet naar alle typen risicojongeren gekeken die in paragraaf 2.1 werden onderscheiden. We hebben ons gericht op jongeren die overlastgevend, hinderlijk en antisociaal gedrag vertonen, maar niet op veelplegers, op harde kerners of criminele jeugdgroepen.

Dit heeft te maken met het feit dat de projecten die vanuit een talentgerichte benadering zijn ontwikkeld, voornamelijk plaats vinden in niet-justitiële settingen. Deelname aan de talentprojecten gebeurt op dit moment voornamelijk op vrijwillige basis in het kader van vrijetijdsbesteding binnen de praktijk van het jongerenwerk.

Het gaat om jongeren die op de grens balanceren van gewenst en ongewenst gedrag. Jongeren voor wie het criminele pad op de loer ligt, maar die nog niet, of niet meer, vervolgd worden door justitie. Zij hangen vaak rond op straat. Het zijn jongeren die over het algemeen slecht gemotiveerd zijn om een opleiding te starten of af te maken en weinig perspectief hebben op de arbeidsmarkt. Zij missen de stimulans zichzelf te ontwikkelen en de dagen nuttig door te komen. Deze jongeren geven aan zich vaak te vervelen en maar wat te *chillen* (rondhangen). Deze jongeren komen samen op straat of in buurthuizen om zichzelf te vermaken en samen wat spanning en avontuur te beleven. Grofweg kun je spreken van *chillers* en *spacers*. Chillers hangen voornamelijk rond, ze vertellen elkaar de laatste nieuwtjes, halen grappen uit en imponeren elkaar met verhalen over stoere acties. Spacers gaan een stap verder. Zij zoeken afleiding door bijvoorbeeld voorbijgangers uit te dagen, meisjes aan te spreken, drank of drugs te gebruiken, door gokspelletjes te spelen en andere vormen van kickgedrag te vertonen (De Jong, 2007).

Delinquentie
Over de aard van het delinquente gedrag bij deze jongeren is het volgende te zeggen: het type delicten waar deze groep jongeren zich schuldig aan maakt, is meestal leeftijdsgebonden en is, vooral voor jongens, vaak 'normaal' gedrag in vriendengroepen. Deze vorm van criminaliteit noemen we *kickgedrag*. Het meedoen met de groep is belangrijk om mee te tellen en delinquent gedrag werkt in vriendengroepen vaak statusverhogend. Aanleidingen om delicten te plegen voor deze groep zijn verveling, spanning, het imponeren van meisjes, sensatiezucht en gewoon de kick (Jacobs e.a., 2006). Tegen het licht van de ordening in paragraaf 2.1 gaat het om first offenders, licht criminelen en hinderlijke probleemgroepen.

Het type criminaliteit waaraan deze jongeren zich schuldig maken is vooral gelegenheidscriminaliteit. Dat wil zeggen dat zij bij het plegen van delicten gebruik maken van gelegenheden die zich toevallig voordoen in plaats van ze actief op te zoeken. Voorbeelden van gelegenheidscriminaliteit zijn zwart-rijden, winkeldiefstal, diefstal op school en vooral vandalisme, vernielingen, graffiti en crassiti (Jacobs e.a., 2006).

Hangjongeren
Andere benamingen voor risicojongeren in de gehanteerde afbakening voor dit project zijn ook wel: randgroepjongeren, hangjongeren, antisociale jongeren, spijbelaars, vroegtijdig schoolverlaters en overlastgevende jongeren. Ook de afgebakende groep risicojongeren voor het onderzoek is geenszins een homogene groep.

In het adviesrapport van de Raad voor Maatschappelijke Ontwikkeling *Tussen flaneren en schofferen* over de aanpak van overlastgevende hangjongeren, wordt aangegeven dat deze groep zeer divers is.

> De diversiteit drukt zich uit in verschillen naar etniciteit, sekse, sociaaleco-nomische klasse, leeftijd en woonplaats. Daarnaast varieert het gedrag van de hangjongeren van onschuldig flaneergedrag tot baldadig schofferen en ernstige vormen van criminaliteit. Het hangen van jongeren gaat soms ge-paard met problemen in het onderwijs of op de arbeidsmarkt. Echter, ook

jongeren die succesvol deelnemen aan de maatschappij zijn op straat te vinden.
(RMO, 2008)

In navolging van Noorda en Veenbaas (2006) wordt in het rapport een nieuwe groep aan de indelingen van Beke en Ferweda (paragraaf 2.1) toegevoegd; deze auteurs spreken over 'aanvaardbare hangjongeren'. Het gaat hier om hangjongeren die zich in groepen op straat begeven, maar die zich gedragen binnen de normen die de sociale omgeving stelt. Van deze laatste groep kun je je afvragen of het risicojongeren zijn. Om hier een sluitend antwoord op te formuleren, is in Nederland nog te weinig wetenschappelijk onderzoek gedaan naar de relatie tussen hangen op straat en het ontwikkelen van crimineel gedrag. In het buitenland wijzen studies uit dat jongeren die veel op straat rondhangen een groter risico lopen om later in de criminaliteit terecht te komen. Wel is in Nederland veelvuldig de relatie aangetoond tussen spijbelen, voortijdige schooluitval en criminaliteit (Blom e.a., 2005). Jongeren die veel op straat rondhangen, worden beïnvloed door de heersende straatwaarden (Kaldenbach, 2007). Jongeren zijn gevoelig voor de invloed van leeftijdsgenoten. Het is dus op zijn minst belangrijk te onderzoeken wat de invloed van de heersende straatcultuur op het gedrag van jongeren is. Als er op straat veel jongeren zijn die overlast veroorzaken, zich antisociaal gedragen en criminele feiten plegen, kan dat een negatieve invloed hebben op jongeren die 'aanvaardbaar' hangen.

Vroegtijdig schoolverlaters
Een laatste indeling van risicojongeren is gebruikt in een publicatie van de Wetenschappelijke Raad voor het Regeringsbeleid (WRR) naar aanleiding van een studie naar schooluitval. Schooluitval is een ongetemd probleem. Het staat al vanaf 1992 met hoofdletters op de beleidsagenda van opeenvolgende kabinetten en de colleges van B&W van de grote steden. Per jaar vallen er 50.000 jongeren voortijdig uit op school; een kwart daarvan wordt verdacht van een misdrijf (Winsemius, 2008).
In de WRR-publicatie worden drie groepen schooluitvallers onderscheiden:
- Opstappers (30 tot 50 procent van 15-jarige schooluitvallers): jongeren die een rationele afweging maken tussen school en werk.
- Niet-kunners (5 tot 10 procent van de populatie 15-jarigen): jongeren die niet tot een startkwalificatie komen door een beperkte intellectuele bagage.
- Overbelasten (50 tot 70 procent van de populatie 15-jarigen): jongeren die de school niet uit vrije wil verlaten. Door een opeenstapeling van beperkte vaardigheden en/of chronische sociale en emotionele problemen verwordt de gang naar het diploma tot een uitputtingsslag waarin zij vroeg of laat het onderspit delven.

Vooral als niet-kunnen samengaat met overbelasting ontsporen jongeren, met als bijkomstig gevolg een aanzienlijke maatschappelijke schade. Gezien de grote aantallen overbelasten is dit de groep waarop de regering zich volgens de WRR het sterkst moet concentreren.

Samenvattend is het onderzoeksproject gericht op risicojongeren die veel tijd op straat doorbrengen, vaak groepsgewijs opereren, weinig kansen hebben op het gebied van scholing en arbeid en een verhoogde kans hebben (opnieuw) in de criminaliteit terecht te komen omdat zij antisociaal, hinderlijk en overlastgevend gedrag vertonen. In ons onderzoek zijn we dus geïnteresseerd in interventies die aansluiting zoeken bij talenten en potenties van deze groep risicojongeren.

In hoofdstuk 3 beschrijf ik kenmerken van creatief-agogische talentprojecten en de reden waarom de uitgangspunten van creatief-agogische methoden goed aansluiten bij interventies die vanuit beschermende factoren zijn ontwikkeld.

Hoofdstuk 3

Creatief-agogische talentprojecten

De projecten waar dit onderzoek op gericht is laten zich verzamelen onder de noemer creatief-agogische talentprojecten. Aan het einde van dit hoofdstuk geef ik een overzicht van de talentprojecten die in het kader van dit onderzoek geselecteerd werden. Tijdens het scannen van talentprojecten bleek al snel dat er veel verschil was in doelstellingen en werkwijzen. Voor deze rapportage is een selectie gemaakt uit die projecten die gebaseerd zijn op een creatief-agogische benadering en waarvan bekend is dat er risicojongeren aan deelnemen.

In dit hoofdstuk som ik de kenmerken op van creatief-agogisch werken. Eerst beschrijf ik in het algemeen wat agogisch werken inhoudt en vervolgens ga ik in op de kenmerken van creatief-agogisch werken. Ook zal ik in dit hoofdstuk de begrippen talentontwikkeling en talentcoaching nader definiëren.

3.1 Kenmerken van creatief-agogisch werken

Agogisch werken
In paragraaf 2.1 schetste ik al kort de brede beroepsgroep van sociaal-agogische professionals die met risicojongeren werken, zowel binnen de vrijwillige als onvrijwillige context van hulp- en dienstverlening. De methoden waarmee de professionals werken zijn zeer divers en sterk afhankelijk van de specifieke kenmerken, behoeften en hulpvragen van de jongeren, maar ook afhankelijk van de doelen die gesteld worden bij de diverse begeleidings- en behandeltrajecten.

Hoewel al deze sociale professionals hun specifieke competenties en kwaliteiten hebben, kennen zij in beginsel ook gemeenschappelijke uitgangspunten en kenmerken. In het algemeen kun je stellen dat zij allen agogisch werkers zijn. Een eerste antwoord op de vraag wat agogisch handelen is, luidt: agogisch werken is het beïnvloeden van het handelen van mensen (Donkers, 1993). Het begrip agogie wordt gebruikt voor al die situaties waarin mensen beïnvloed worden door anderen die met die interventie een specifieke professionele bedoeling hebben, namelijk om de situatie van de cliënt te wijzigen en wel zo dat die cliënt zich er beter bij voelt (Behrend, 2008).

Nationaal en internationaal wordt er volop gediscussieerd over de generieke en specifieke competenties van *social workers*. Ook in Nederland wordt er continu gewerkt aan de bijstelling van de algemene beroepenstructuur 'Zorg en Welzijn' en worden er ten behoeve van het Hoger Sociaal Agogisch Onderwijs onderscheiden profielen beschreven.

In *Vele takken één stam, profilering sociaal-agogische opleidingen* (Sectorraad HSAO, 2008), wordt het volgende gezegd over de *mission statement* zoals deze is geformuleerd door de International Association of Schools of Social Work en de International Federation of Social Workers:

> The Social Work profession promotes social change, problem solving in human relationships and the empowerment and liberation of people to enhance well-being. Utilising theories of human behaviour and social systems, social work intervenes at the points where people interact with their environments. Principles of human rights and social justice are fundamental to Social Work.

Met andere woorden, sociaal-agogisch werk:
• streeft bepaalde doelen na (sociale verandering, probleemoplossing, toerusting en bevrijding) teneinde een gewenste eindtoestand (*well-being*) te bereiken.
• benut daartoe bepaalde kennis en vaardigheden (*theories*).
• intervenieert op een specifiek punt in het sociale systeem (*the point where people interact with their environments*).
• baseert zich daarbij op zekere waarden (*human rights and social justice*).

De sociaal-agoog werkt in sociale contexten waarbinnen mensen, groepen en organisaties functioneren. In die contexten is van alles gaande: capaciteiten en ontwikkelingskansen, manifeste en sluimerende behoeften, gewenste en ongewenste ontwikkelingen, uitdagingen en problemen, materiële en immateriële kwesties, economische en fysieke behoeften, culturele en zingevingsbehoeften en motieven en drijfveren op individueel en collectief niveau.

De sociaal-agoog benadert deze sociale contexten niet alleen op micro- en mesoniveau (het intrapsychische, het interpersoonlijke, de concrete leefsituaties van individuen en samenlevingsverbanden), maar ook op macroniveau (maatschappelijke verhoudingen). Het kan gaan om problemen waar individuen zelf last van hebben, maar ook om problemen die zij hun omgeving bezorgen (zoals bij overlast). Het kan gaan om persoonlijke ontwikkeling, maar ook om maatschappelijke vernieuwingen. In alle gevallen zijn de opgaven waar het sociaal-agogisch werk voor staat tijd- en cultuurgebonden en hebben ze een normatieve dimensie (Sectorraad HSAO, 2008).

Agogisch handelen kan betekenen: hulpverlening, maar ook: dienstverlening, vorming en voorlichting; alle zijn het vormen van beïnvloeding met een specifieke bedoeling. Agogisch handelen gebeurt doelgericht, bewust, procesmatig en systematisch. De manier waarop het agogisch handelen plaatsvindt, kan dus heel verschillend zijn. In de beroepspraktijk zijn er duizenden methodieken waarlangs agogisch gewerkt wordt, die zich uiteraard weer allemaal laten ordenen en categoriseren. In het kader van deze rapportage ga ik nader in op methodieken die in de sociale sector worden gedefinieerd als creatief-agogisch werk.

Creatief-agogisch werken
Creatief-agogisch werken kenmerkt zich door een specifieke werkwijze. Het agogisch handelen verloopt via interventies die een speels, creatief of kunstzinnig element in zich hebben waaraan de cliënt tevredenheid, plezier, bevestiging of uitdaging beleeft en die een bijdrage leveren aan de diverse gebieden van ontwikkeling van de mens (Behrend, 1996).

Creatief-agogisch werken wordt ook wel genoemd: het werken met *muzische en ludische activiteiten*. Het woord muzisch is afgeleid van het Griekse woord *mousai*. In de Griekse mythologie zijn muzen beschermvrouwen van kunsten en oorspronkelijke wetenschappen. Wij gebruiken het woord muzisch als verzamelnaam voor alle activiteiten die afgeleid zijn van een bepaalde kunstdiscipline. We onderscheiden daarbij de volgende disciplines: theater, dans, muziek, beeldende kunst (ook audiovisuele kunsten), proza en poëzie (Van Rosmalen, 1999).

Het woord *ludisch* is afgeleid van het Latijnse woord *ludere*, dat spelen betekent. Activiteiten die hiermee worden bedoeld hebben een speels en/of sportief karakter.

Samenvattend wordt creatief-agogisch werken gedefinieerd als een categorie agogische interventies waarbij het middel waarmee gewerkt wordt kan worden afgeleid van een kunstdiscipline, of een sportief of speels karakter heeft (Kooijmans, 2006).

Het bijzondere van creatief-agogische methoden is dat de interventies op een non-verbale manier plaats kunnen vinden. In onze westerse maatschappij ligt de nadruk sterk op verbale communicatie en zijn leerprocessen sterk op cognitie gestuurd. Niet alle mensen zijn op dezelfde manier bekwaam zich verbaal uit te drukken. Niet iedereen kan zichzelf in woorden uitdrukken en al helemaal niet als de boodschap emotioneel geladen is of als het een bepaald bewustzijnsniveau of reflectievermogen vraagt. Muzische en ludische werkvormen en interventies geven mensen andere mogelijkheden zich te uiten en met elkaar te communiceren, te delen en te verwerken. Een andere eigenschap van muzische of ludische werkvormen is dat er vaak een tastbaar, zichtbaar, hoorbaar resultaat wordt gecreëerd, zoals een tekening, foto, een beeld, lied, gedicht enzovoort. Hierdoor zijn er gedurende het proces legio interacties mogelijk waarbij de verbeelding van mensen verwoordt wat zij vaak verbaal niet kunnen uiten. Via beelden en andere uitingsvormen is reflectie goed mogelijk. De drempel blijkt vaak laag om via een creatief product te praten over je beleving of emoties. Muzisch werken gebeurt in een universele taal die niet gebaseerd is op cognitie, maar op expressie en emotie.

Een voorbeeld
Als je naar rapteksten van risicojongeren luistert, hoor je wat hen bezighoudt. Je hoort waar ze boos over zijn, wat ze hopen en vrezen. Ook de *beat* en de toon vertellen veel over de belevingswereld van deze jongeren. Met risicojongeren op een directe en verbale manier over gevoelens en ervaringen praten is niet eenvoudig. Vaak staan ze er niet voor open, of vinden ze het bedreigend. De raptekst is enerzijds een manier voor jongeren zich te uiten, en voor de professional is het een middel om indirect te communiceren.

Creatief-agogisch werken betekent per definitie maatwerk leveren. De creatief-agogische professional is erin getraind om met de keuze van werkvormen, activiteiten, materialen en werkwijzen aan te sluiten bij de individuele behoeften en capaciteiten van de doelgroep of het individu. Elk mens heeft andere affiniteiten en verhoudt zich anders tot muzische materialen en interventies. Daarom zal hij op een passende manier uitgedaagd moeten worden wil er een creatief-agogisch proces op gang komen. Voor de een is dat dans, voor een ander sport, theater, schrijven, tekenen, foto's maken enzovoort. De mate waarin iets prikkelt, de mogelijkheden die de materialen of middelen in zich hebben en wat het bij een persoon losmaakt, wordt de appèlwaarde van een activiteit of middel genoemd (Behrend, 2008).
Een creatief-agogisch werker dient kennis te hebben van de appèlwaarden van creatieve en speelse middelen. Bij elke interventie moet een goede afweging worden gemaakt welk middel wordt ingezet om het agogisch proces in gang te zetten. Behalve de persoonskenmerken, affiniteiten en vaardigheden van de cliënt/deelnemer is uiteraard ook van belang welk agogisch doel wordt beoogd. Wanneer er sprake is van een recreatieve doelstelling zal goed gekeken moeten worden naar een muzisch of ludisch middel met een lage frustratiegrens. Als je risicojongeren wilt bereiken om hen van de straat te houden, dan is het belangrijk te weten wat zij aantrekkelijk vinden en wat hen motiveert om deel te nemen. Een creatief agoog weet aan te sluiten bij trends die actueel zijn onder jongeren. Als de agogische doelstelling gericht is op bijvoorbeeld het reguleren van agressie, dan zijn expressieve werkvormen interessant (waarbij de deelnemer uiting kan geven aan opgekropte emoties),

of fysiek inspannende activiteiten (waarbij overtollige energie kan worden afgevoerd).

In hoofdstuk 5 beschrijf ik op welke manier er maatwerk geleverd kan worden in het werken met risicojongeren.

3.2 Talentontwikkeling en talentcoaching

In het onderzoeksproject hebben we gezocht naar creatief-agogische projecten in Nederland die gericht zijn op potenties en talent van risicojongeren. Om te kunnen onderzoeken welke factoren binnen creatief-agogische talentprojecten succeservaringen bij risicojongeren bevorderen, was het noodzakelijk eerst dergelijke projecten te scannen. In deze paragraaf besteed ik aandacht aan het concept talentontwikkeling en de definitie van talentcoaching in relatie tot agogisch werk.

Talentontwikkeling is 'hot'. Beleidsnota's over opvoeding en jeugdbeleid maken duidelijk dat de Nederlandse overheid graag en ruimhartig investeert in haar jeugdigen, onder andere door de ontwikkeling van talenten te optimaliseren. De realisatie daarvan is een samenspel tussen onderwijs, welzijnsorganisaties, verenigingen, instellingen voor kunst en cultuur én ouders. In het kader van de Wet Maatschappelijke Ondersteuning (WMO) hebben de lokale overheden de regie in handen waar het gaat om brede talentontwikkeling voor alle jeugdigen. In de meeste Nederlandse gemeenten worden activiteiten georganiseerd door brede welzijnsorganisaties die onder andere regulier jongerenwerk aanbieden om talenten op te sporen, aan te spreken en te ontwikkelen.

Bij de praktijkscan viel op dat de meeste projecten gericht zijn op alle jeugdigen in een bepaalde gemeente of buurt en dat zij zelden gericht zijn op specifieke groepen, zoals risicojongeren.

Brede talentontwikkeling: ontwikkeling van talent als doel

Wat wordt verstaan onder talentontwikkeling? Waarom is talentontwikkeling nu zo actueel?

Talentontwikkeling is niet nieuw. Het is van alle tijden, maar het is maatschappelijk gezien niet altijd op dezelfde manier gewaardeerd. In de oude standenmaatschappij van voor de zeventiende eeuw was niet individueel talent, maar afkomst, bezit en overerving doorslaggevend bij de invulling van banen. In de moderne samenleving heeft 'blindheid voor talent' plaats gemaakt voor 'voor talent toegankelijke carrières'. In het onderwijs, het bedrijfsleven, de kunsten – en later ook de sport – werd in latere eeuwen een hele bureaucratie opgetuigd voor de ontdekking en ontwikkeling van talent (Sennet, 2003). Met gelijke kansen voor iedereen is een nieuwe vorm van ongelijkheid ontstaan. Helaas is het niet voor iedereen weggelegd om talent op eenzelfde manier te ontwikkelen (Swierstra & Tonkens, 2008; Spierts & De Boer, 2008).

Als we kijken naar het huidige onderwijs, dé aangewezen institutie als het gaat om ontwikkeling van talent, dan valt op dat de op cognitie gebaseerde standaard een eenzijdige benadering van talent tot gevolg heeft. Heel veel jongeren kunnen niet voldoen aan die norm en leven met het perspectief 'alleen iets laags' te kunnen worden. Het gaat om 60 procent van de jongeren die op het vmbo zitten (Terwijn, 2006). Het gaat over jongeren die niet uitblonken op de basisschool waar zij laag scoorden binnen het dominante Cito-systeem. Maar ook deze jongeren hebben talenten. Andere talenten, die waarschijnlijk niet zijn aangesproken, niet zijn ontdekt en dus niet zijn ontwikkeld.

Als antwoord op de haperingen binnen het onderwijs als belangrijkste speler in de arena van talentontwikkeling, zijn er tal van initiatieven in de buitenschoolse sfeer. Jongerencentra en Brede Scholen hebben programma's en arrangementen ontwikkeld om talenten van jongeren op te sporen en te ontwikkelen. Er is een groot aanbod van projecten dat gericht is op brede talentontwikkeling, al dan niet in samenwerking met centra voor kunst en cultuur, verenigingen of het bedrijfsleven. Er is een zekere wildgroei ontstaan, omdat niet helder is binnen welke settings de programma's werken, op welke doelgroepen zij gericht zijn en met welke bedoeling er wordt gewerkt. Ook is niet helder welke professionaliteit vereist is voor dit type interventies. Tegelijkertijd is brede talentontwikkeling een gevleugeld begrip waar veel van wordt verwacht.

Samenvattend is brede talentontwikkeling te definiëren als een nieuwe missie van lokale overheden om via activiteiten en projecten kansen te bieden aan alle jeugdigen om talenten te ontdekken en te ontwikkelen, voor, tijdens en na schooltijd.

De verwachting is dat brede talentontwikkeling bijdraagt aan zowel de persoonlijke ontwikkeling van jeugdigen als maatschappelijke betrokkenheid (Spierts & De Boer, 2008).

Een voorbeeld

De gemeente Amsterdam heeft het meerjarenplan Jong ;-) Amsterdam 2006-2010 opgesteld (2008). In deze nota beschrijven de gemeente, stadsdelen en organisaties voor onderwijs, welzijn, jeugdzorg, politie en justitie de kansen die zij willen bieden voor de jeugd. De nota besteedt aandacht aan álle kinderen, zowel aan kinderen die bijzondere aandacht verdienen als aan kinderen met wie het goed gaat.

Een van de programmalijnen van het meerjarenplan richt zich op de ontwikkeling van talenten van kinderen en jongeren tot en met 23 jaar, en is uitgewerkt in het *Kader Brede talentontwikkeling voor alle jeugd in Amsterdam* (Gemeente Amsterdam, 2008). Het aanbod is ingedeeld in vier niveaus: kennismaken, ontwikkelen, bekwamen en excelleren.

Kinderen ontwikkelen hun talenten in verschillende domeinen: thuis, in de buurt en op school. De bedoeling is dat met behulp van een *talentenpaspoort* de ontwikkeling van kinderen en jongeren wordt bijgehouden.

Talentcoaching: talent als middel

Brede talentontwikkeling is dus in principe gericht op alle jeugdigen. In de praktijk blijkt dat niet alle jeugdigen 'passen' in de programma's en projecten van het reguliere aanbod. Risicojongeren die antisociaal en overlastgevend gedrag vertonen, hebben blijkbaar een aangepast, specifiek aanbod nodig omdat zij op een andere manier uitgedaagd en begeleid moeten worden. Uit gesprekken met jongerenwerkers blijkt dat deze doelgroep over het algemeen moeilijker te motiveren is. Meedoen aan dergelijke talentprojecten geeft weinig aanzien in de kringen waarin deze jongeren verkeren en bovendien denken ze niet zelden van zichzelf dat ze geen talent hebben.

Toch lijkt dit type interventies (creatief-agogische methoden) juist voor risicojongeren kansrijk, wanneer doelgericht en met veel individueel maatwerk gewerkt wordt, zo blijkt uit de praktijk van het jongerenwerk.

Een aantal welzijnsorganisaties heeft om die reden bijzondere talentprojecten voor risicojongeren ontwikkeld. Deze creatief-agogische interventies kenmerken zich door begeleidingsvormen met veel individueel maatwerk, omdat er veel meer gekeken wordt naar de individuele slaag- en faalfactoren van de deelnemende risicojongeren. De activiteiten vinden over het algemeen plaats in een groep, maar de focus van de begeleiding is sterk gericht op het individuele ontwikkelingsproces. De creatief-agogische professional treedt op als een soort coach die aansluiting zoekt bij de (vaak verborgen) talenten van de jongere om op die manier het antisociale gedrag te beïnvloeden. Tijdens het project heeft het onderzoeksteam dit type interventies de naam *talentcoaching* gegeven.

Het begrip talentcoaching wordt in dit boek gehanteerd als een verzamelnaam voor sociaal-agogische interventies die gericht zijn op individuele gedragsverandering van risicojongeren, waarbij jongeren worden uitgedaagd hun talent te ontwikkelen zodat zij succeservaringen kunnen opdoen. Talentontwikkeling is geen doel, maar een middel om risicojongeren te behoeden voor overlastgevend en delinquent gedrag. Door in te steken op ambities en potenties van risicojongeren worden zij gemotiveerd een negatieve spiraal te doorbreken. Bij dit proces, waarbij jongeren wisselend succes ervaren en ook regelmatig terugvallen in oud gedrag, wordt een specifieke deskundigheid gevraagd. Creatief-agogische methoden lijken goed aan te sluiten bij de doelstellingen en werkwijzen van talentcoaching.

In hoofdstuk 5 en 6 ga ik in op de begeleidingsaspecten en specifieke deskundigheden die talentcoaching vraagt.

3.3 Voorbeelden van creatief-agogische talentprojecten in Nederland

In het project *Battle zonder knokken* werden creatief-agogische talentprojecten in Nederland opgespoord, waarbinnen jongeren uitgedaagd worden talent te ontdekken en te ontwikkelen. Deze paragraaf biedt een overzicht van diverse voorbeelden op dit terrein. Het zijn zowel projecten die specifiek voor risicojongeren zijn opgezet, als projecten die voor alle jongeren zijn bedoeld in het kader van brede talentontwikkeling.

We hebben met dit overzicht niet de pretentie om volledig te zijn. Er gebeurt in Nederland namelijk heel veel op dit vlak. We werden op veel projecten attent gemaakt door een groeiend netwerk van professionals dat zich aan het vormen is rondom talentontwikkeling. We hebben ons vooral georiënteerd op de provincie Noord Brabant en op de regio Amsterdam, met hier en daar uitstapjes naar andere steden in het land.

De dertien projecten die in tabel 3.1 worden gepresenteerd, zijn geselecteerd op basis van de volgende criteria:

- Het project is gericht op brede talentontwikkeling of op talentcoaching van risicojongeren.
- Er is sprake van een creatief-agogische methodiek.
- Het is bekend dat risicojongeren hebben deelgenomen aan het project.
- Het project is positief gewaardeerd door deelnemers en begeleiders. Uit gesprekken met jongeren en professionals blijkt dat er succeservaringen werden opgedaan die invloed hadden op de persoonlijke ontwikkeling en/of het stoppen met delinquent gedrag.

Tijdens het verkennende veldonderzoek in 2007-2008 hebben we gebruik gemaakt van methodiekbeschrijvingen en evaluatierapporten van diverse organisaties die talentprojecten aanbieden. Ook werden er werkbezoeken afgelegd en interviews gehouden met zowel professionals als jongeren over de aard en het verloop van de projecten en de wijze waarop jongeren succeservaringen beleefden.

Per project heb ik in tabel 3.1 aangegeven of het gericht is op brede talentontwikkeling of op talentcoaching van risicojongeren. Ook is vermeld in hoeverre het creatieve medium doel of middel is en op welke doelgroep het medium is gericht.

In de bijlage achter in het boek is een uitgebreidere beschrijving van de projecten opgenomen, inclusief de contactgegevens van de betreffende organisatie.

Project & Plaats	Doelgroep	BT	TC
1. All Stars Amsterdam	Jongeren tussen 15 en 25 jaar, waaronder ook risicojongeren	X	X
2. Attention on Tour Amsterdam	Dak- en thuisloze risicojongeren die op straat leven		X
3. Brotherhood Amsterdam	Jongeren tussen 8 en 25 jaar, inclusief risicojongeren. Jongeren die een vrijetijdsinvulling zoeken, worstelen met het vinden van een plaats in de maatschappij, die op zoek zijn naar een uitdaging en daardoor buiten de normen en waarden dreigen te treden die binnen de samenleving gelden	X	X
4. CATch! Amsterdam	Risicojongeren tussen 12 en 23 jaar met zwaar, medium en licht risiconiveau		X
5. Crossroads Tilburg	Risicojongeren tussen 12 en 18 jaar die meerdere keren met justitie in aanraking zijn geweest vanwege strafrechtelijke of civielrechtelijke problemen		X
6. Doelbewust 's-Hertogenbosch	Jongeren van 11 tot en met 18 jaar, inclusief risicojongeren		X
7. FAME-ISH Amsterdam	Leerlingen van vmbo en mbo, inclusief risicojongeren	X	

		BT	TC
8. Horizon Educatief Centrum Rotterdam	Jongeren die problemen hebben met leren en school en mogelijk ook in aanraking zijn gekomen met justitie. Het behalen van een regulier schooldiploma lijkt niet waarschijnlijk, maar het leren van een vak wel. Het is gericht op de zwaarste groep schooluitvallers: de niet-willers en niet-kunners tussen 16 en 18 jaar	X	X
9. Hype Tilburg	Jongeren van 12 tot 26 jaar, inclusief risicojongeren	X	
10. IMC Weekendschool Amsterdam	Jongeren tussen 10 en 14 jaar uit achterstandswijken in de grote steden	X	X
11. KICK Project Breda	Risicojongeren tot en met 22 jaar die een justitiële maatregel hebben en/of de aansluiting bij de reguliere onderwijs- of arbeidsmarkt verliezen		X
12. Undertainment Amsterdam	Gericht op risicojongeren tussen 15 en 23 jaar die 'buiten de boot dreigen te vallen'		X
13. Voor Talent Wordt Geklapt! 's-Hertogenbosch	Jongeren van 11 tot en met 18 jaar, inclusief risicojongeren	X	

BT = Brede talentontwikkeling (talentontwikkeling is het doel)

TC = Talentcoaching (talentontwikkeling is middel)

De projecten staan op alfabetische volgorde en hebben een projectnummer. In de bijlage is dezelfde nummering aangehouden.

Hoofdstuk 4

Succeservaringen

In dit hoofdstuk geef ik antwoord op de vraag in hoeverre succeservaringen effect hebben op persoonlijke groei en of succeservaringen invloed hebben op delinquent gedrag van risicojongeren. Eerst verken en definieer ik in paragraaf 4.1 de begrippen *succes* en *succeservaring* en licht ik toe welke aspecten van succes relevant zijn voor het onderzoek. Om dit helder te krijgen, introduceer ik in dit hoofdstuk de theorie over *flow* van Csikszentmihalyi. Deze Hongaars-Amerikaanse psycholoog heeft in zijn studie naar menselijk geluk onderzoek gedaan naar de totstandkoming en de effecten van zogenoemde optimale ervaringen. Zijn beschrijving van het fenomeen flow hebben we als theoretisch kader gebruikt in het verkennend onderzoek naar succeservaringen van risicojongeren.

4.1 Wat is succes en wat zijn succeservaringen?

Zoekend in de literatuur naar relevante bronnen om deze vraag te beantwoorden, blijkt dat het begrip succes vaak wordt verbonden met (levens)geluk, vooral in de meer filosofische benadering van dit thema. Op zoek naar de definitie van succes is het bovendien de kunst een balans te vinden tussen oude wijsheid en moderne wetenschap (Haidt, 2006). Biologen, sociologen, filosofen en psychologen hebben allen hun eigen bevindingen en binnen de academische wetenschap wordt er dan ook dankbaar gebruik gemaakt van elkaars inzichten. In het kader van dit onderzoek is een algemene verkenning naar de betekenis en definities van succes interessant. Deze verkenning is bovendien noodzakelijk om tot een eigen definitie te komen, want niet alle betekenissen van succes zijn relevant voor het onderzoek naar talentcoaching. Inleidend merk ik op dat het concept 'succes' in grote lijnen in te delen is in twee dimensies: een objectieve en een subjectieve dimensie. Parallel daaraan kun je spreken van een externe oriëntatie en een interne oriëntatie bij het definiëren van succes (Sieger,1999). Bij de objectieve betekenis van succes gaat het om het verkrijgen van materieel gewin, roem en status. De focus is op de buitenwereld gericht, dat wil zeggen dat het succes altijd afhangt van de waardering van de ander. Bij de subjectieve betekenis van succes gaat het om de persoonlijke beleving van succes door het individu zelf. Bij deze betekenis van succes is niet de buitenwereld maatgevend, maar de persoon in kwestie. In het kader van talentcoaching ligt de focus op de *beleving* van succes, dus op de laatstgenoemde benadering van succeservaringen. Het gaat om een intrapsychisch fenomeen en niet om bijvoorbeeld maatschappelijk succes of andere vormen van objectief succes, zoals rijkdom en roem. In dit onderzoek ligt het accent op de psychologische effecten van de succeservaring en is de interne dimensie van het beleven van succes het onderzoeksobject. Daarom is de subjectieve betekenis die mensen aan succes toekennen van belang. Om die reden ligt het voor de hand om bij de verkenning van het begrip succeservaring ook termen als geluk, geluksgevoel en optimale ervaring te verkennen.

Het geheim van succes zit niet in de manier waarop je werkt, maar in de manier waarop je denkt.
(Sieger, 1999)

Dit citaat van Sieger uit zijn boek *Succes zit in je* geeft weer dat het verkrijgen van succes niet alles te maken heeft met hard werken, discipline, inspanningen leveren en knokken. In de inleiding van zijn boek geeft Sieger aan dat het evenmin te maken heeft met 'geluk hebben' of dat het lot bepaalt of je succesvol bent. Succes hebben heeft alles te maken met een psychologisch proces dat begint met een manier van denken en bewust worden. Als mensen zich bewust worden van hun eigen denkpatronen, waar succes mede van afhankelijk is, en de sleutel ontdekken die ten grondslag ligt aan het gedragsrepertoire, dan kunnen zij capaciteiten ontwikkelen om eigen succes te creëren. Sieger zegt dat succes het best gedefinieerd kan worden als het langzaam bereiken van je doelen, zowel op persoonlijk als beroepsmatig vlak. Rijkdom en roem zijn niet meer dan bijproducten van deze doelen. Succes is een gevoel dat in ons zit en zich manifesteert op basis van eigen verantwoordelijkheid.

Succes hangt af van de mate waarin u succes wilt, het hangt af van de doelen die u zichzelf stelt, de opoffering waartoe u bereid bent en de echte voordelen die u van dit succes verwacht.
(Sieger, 1999)

De psycholoog Davidson (1998) heeft het over twee verschillende positieve gevoelswaarden bij het nastreven van menselijke doelen: het verworven positieve affect vóór het doel bereikt is en het verworven positieve affect ná het bereiken van het doel. Hij stelt: het meeste genot verkrijg je onderweg, met elke stap die je dichter bij je doel brengt. De reis telt, niet de bestemming. Dit wordt het *progressieprincipe* genoemd (Haidt, 2006).

Succes blijkt binnen de psychologie onlosmakelijk verbonden met het begrip geluk. Eind jaren negentig ontwikkelde een aantal psychologen, binnen een stroming die zich positieve psychologie noemt, de volgende 'geluksformule':

$$G = B + O + V$$

De formule betekent het volgende: het niveau van geluksgevoel dat je feitelijk ervaart (G) wordt bepaald door je biologische basispunt (B) plus de omstandigheden van je leven (O), plus de vrijwillige activiteiten (V) die je uitvoert (Haidt, 2006).
Met andere woorden, geluk is van vele factoren afhankelijk: factoren binnen mensen, tussen mensen en buiten mensen, maar ook van factoren die je zelf in de hand hebt en van factoren waar je geen grip op hebt. Geluk is dan ook een complex fenomeen.

Csikszentmihalyi, die onderzoek doet naar menselijk geluk, spreekt in zijn boeken over optimale ervaringen (1999, 2005). Hij deed onderzoek naar de totstandkoming en effecten van deze zogenoemde optimale ervaringen, die hij flow noemt.

> Iedereen heeft wel eens in een flow gezeten. We voelen ons sterk, alert, verrichten moeiteloos ons werk, hebben het gevoel de situatie volledig meester te zijn en op de top van ons kunnen te presteren. Zowel ons tijdsbesef als onze problemen verdwijnen tijdelijk achter de horizon en even lijken wij buiten onszelf te staan.
> (Csikszentmihalyi, 2005)

Hij beschrijft hoe tijdens een flow-ervaring iemands bewustzijn samenvalt met wat hij doet. De persoon is volledig gericht op een beperkt stimulusveld, enkel en alleen in het hier en nu. Voorwaarden voor een dergelijke ervaring zijn dat de persoon in kwestie intrinsiek gemotiveerd is en dat de uitdaging het uiterste van iemands kunnen vraagt. Csikszentmihalyi spreekt van een optimale ervaring als een toestand waarin mensen verkeren wanneer zij zeer geconcentreerd zijn en daar intens van genieten (Van Rosmalen, 1999).
Ik citeer een aantal risicojongeren en een professional om aan te geven om wat voor soort succeservaringen het gaat in deze onderzoeksrapportage.

Maikel, deelnemer aan het project *Attention on Tour,* Amsterdam:

> Weet je, ik had ontdekt dat ik goed wilde worden in rappen. Via de organisatie Attention on Tour uit Amsterdam kreeg ik les en na heel veel oefenen werd ik geselecteerd om mee te doen aan een groot optreden. Nou man, kicken, stond ik ineens op het podium in de Melkweg [populair poppodium] in Amsterdam. Pers erbij, veel publiek. Het moest gewoon lukken daar, ik

wilde me bewijzen, ik wilde laten zien dat ik niet alleen maar problemen heb en niet deug ... het was een onwijze space-ervaring, ik vergat alles waardoor ik in de shit zat en was een held!

Clide, deelnemer aan het project *All Stars*, Amsterdam:

> Je leert in All Stars dat het echt om talent gaat. Niet alleen je talent om op te treden, maar je talent om te durven en te gaan voor iets wat je wilt bereiken. Via All Stars kregen we de kans om op Kwakoe [grootste multiculturele zomerfestival van Europa] op te treden. Je treedt daar wel even op voor een paar duizend mensen. Als je dat aankunt, krijg je wel zelfvertrouwen. Kwakoe is een doorbraak voor velen.

Psycholoog Carlo Spier, betrokken bij *Brotherhood*, Amsterdam:

> De jongeren kunnen eindelijk iets waar ze trots op kunnen zijn. 'Ik heb in de Kuip [voetbalstadion Rotterdam] opgetreden en ik ben in Suriname geweest!' zeggen ze dan trots. De optredens versterken de eigenwaarde van de jongeren in positieve zin.
> (Koswal, 2006)

De definitie van een succeservaring in het kader van deze studie luidt:

> Een succeservaring is het op een voortvarende manier bereiken van een doel dat door eigen capaciteiten en grote inspanningen is bereikt en geleid heeft tot een prestatie die gevoelens van voldoening, geluk en trots teweegbrengt bij de persoon in kwestie. Een succeservaring is een intrapsychisch fenomeen dat beïnvloed wordt door zowel interne als externe factoren.

Flow en kick

In gesprekken met risicojongeren over de betekenis die zij aan succeservaringen toekennen, kwam naar voren dat zij het fenomeen flow herkennen, maar niet zelden leggen zij de link naar de successen bij criminele activiteiten. Ze vertelden over de kick-ervaring na een geslaagde inbraak, of het net niet betrapt zijn bij een roofoverval.

Is een succeservaring hetzelfde als een kick-ervaring? En bestaat er ook zoiets als een criminele flow? Dit soort vragen werd tijdens het onderzoek vaak gesteld door professionals en studenten van de klankbordgroep, die feedback gaven op de tussentijdse onderzoeksresultaten.

Uit gesprekken blijkt dat er zeker sprake kan zijn van een flow-ervaring tijdens criminele activiteiten. De psychische toestand waarin iemand verkeert tijdens een optimale ervaring kan in principe ook bereikt worden tijdens activiteiten die als crimineel gedefinieerd worden. Veel delinquenten herkennen deze psychische toestand wanneer de criminele daad een enorme inspanning en een uiterste concentratie vereist om (in dit geval) een crimineel doel te bereiken. In literatuur over 'sensation seeking behavior' (WODC, Themanummer Justitiële Verkenningen, 2006) wordt bevestigd dat criminele activiteiten een enorme kick kunnen geven. In *De psychologie van de kick* (Feij, 2006) wordt betoogd dat veel vormen van riskant gedrag (positief en negatief) voortkomen uit een grote behoefte aan afwisseling en sensatie, aan nieuwe en uitdagende ervaringen en de daarmee verbonden kick. Het genot van de kick wordt ontleend aan roekeloos gedrag en de spanning in verband met de mogelijke consequenties wanneer daarbij regels en normen worden overtreden. De aard van het riskante gedrag waarin de spanningsbehoefte zich kan manifesteren is heel verschillend, variërend van positief maatschappelijk geaccepteerd gedrag (riskante sporten, stunten enzovoort) tot delinquent en crimineel gedrag. Het genot van de kick heeft vermoedelijk te maken met beloningsmechanismen in de hersenen, maar er is altijd sprake van een wisselwerking met factoren in de sociale omgeving (Feij, 2006).

Gaat het bij een kick-ervaring over hetzelfde psychologisch proces als in bovenstaande definitie wordt bedoeld met succeservaringen?

Mijn gedachte is dat een succeservaring dieper ingrijpt waar het gaat om gevoelens van voldoening en trots omdat een bewuste intrinsieke motivatie de motor is van het proces. Het kicken heeft sterk te maken met het lekkere gevoel na een geslaagde actie waar je niet per se zelf hard voor hebt moeten knokken. Het kan zelfs een kick zijn voor jongeren als ze zonder inspanning iets voor elkaar krijgen. Bij bepaalde vormen van inbraak kan bijvoorbeeld de opwinding om gepakt te worden een groter kickgevoel geven dan het geldelijk voordeel van de gestolen buit. Deze vormen van criminaliteit worden ook wel kickgedrag genoemd, waarvan jongeren zelf zeggen dat het een verslavende werking heeft.

Het zou interessant zijn om specifieker te kijken naar flow-ervaringen tijdens criminele activiteiten. Dit valt echter buiten het kader van dit onderzoek. Wel is voor deze studie de vraag interessant in hoeverre succeservaringen in talentprojecten dezelfde verslavende werking hebben als de kick-ervaringen bij delinquent gedrag.

4.2 Hoe komen succeservaringen tot stand?

Mensen schijnen een natuurlijke behoefte te hebben om te presteren. De behoefte om competent te zijn, leidt tot het streven naar succes bij het uitvoeren van een taak (Hermans, 1972). Bij de ontwikkeling van de prestatiemotivatie speelt de moeilijkheidsgraad van de taak een rol. Het gaat om taken die uitdagend en haalbaar zijn, maar niet te gemakkelijk. Daarbij is het belangrijk om regelmatig vooruitgang vast te stellen, zodat gevoelens van succes ervaren kunnen worden. Een taak biedt niet alleen de mogelijkheid om succes te ervaren, maar houdt ook de mogelijkheid in om te mislukken. Taken wekken daardoor niet alleen een positieve prestatiebehoefte op, maar ook het motief om mislukkingen te vermijden (faalangst) (Klomp e.a., 2004).

In de literatuur over flow worden enkele cruciale factoren genoemd die voorwaarden zijn om succes te kunnen ervaren (Csikszentmihalyi, 1999):
1. De persoon in kwestie is intrinsiek gemotiveerd en heeft een helder doel voor ogen.
2. Er is sprake van uitdaging. De activiteit vraagt het uiterste van iemands kunnen, maar moet wel te realiseren zijn. Met andere woorden: de uitdaging moet in verhouding staan tot de vaardigheden waarover die persoon beschikt.
3. Er moet sprake zijn van interne en externe feedback. Met andere woorden: de persoon in kwestie moet steeds gevoed worden door stimulansen buiten zichzelf (het zichtbare resultaat, de positieve aandacht) en door innerlijke feedback ('Ik ben goed bezig. Ik kan het! Ik ga het redden!').
4. De persoon is zeer geconcentreerd, gericht op het hier en nu.
5. Er moet een enorme fysieke en/of geestelijke inspanning geleverd worden.
6. Er is geen sprake van vrijblijvendheid. Als de regels van het spel te soepel zijn, gaat dat ten koste van de concentratie en wordt het lastiger om flow te ervaren.

Hier volgt een analyse van het verhaal van Maikel over zijn succeservaring tijdens zijn optreden in de Melkweg (zie paragraaf 4.1). Was hier sprake van de voorwaarden om flow te ervaren?
1. Maikel wil heel graag goed worden in rappen. Hij wil artiest zijn, een ster zijn, een podiumheld worden. Hij heeft dus een helder doel voor ogen en is intrinsiek gemotiveerd.
2. Maikel heeft les gekregen in allerlei vaardigheden die noodzakelijk zijn om een goede rapper te worden en op een podium te kunnen presenteren. Aanvankelijk was Maikel drummer, hij had al gevoel voor ritme. Toen hij in contact kwam met *Attention on Tour* ontdekte hij dat met name het tekstschrijven hem goed afging. De uitdaging om zijn zelf geschreven teksten vorm te geven in een rap was enorm groot. Ook om op een beroemd podium te kunnen presenteren was een enorme stap.
3. Maikel kreeg les in tekstschrijven, raptechnieken, articulatie, choreografie, presentatietechnieken en werd op die manier getraind.
4. Op het moment dat hij in de Melkweg op het podium stond, was de uitdaging in balans met de verworven vaardigheden.
5. Op het moment dat Maikel op het podium stond kreeg hij een enorme kick van het applaudisserende, schreeuwende en dansende publiek (externe feedback). Naarmate het optreden vorderde, kreeg hij steeds meer vertrouwen in zichzelf. Als het ware kreeg hij innerlijke feedback door een innerlijke stem: 'Het gaat goed. Ik kan het!'

6. Maikel vergat de tijd, concentreerde zich enkel en alleen op zijn optreden, op de tekst, het ritme, de sound. Hij vergat alles, de tijd, zijn problemen, zijn onzekerheden ... hij had het gevoel buiten zichzelf te staan en dit keer was dat niet door het blowen.
7. Om zijn optreden tot een goed einde te brengen, moest hij alle vaardigheden die hij in de trainingen had geleerd tegelijkertijd demonstreren. Dat vroeg een enorme inspanning, zowel een fysieke als geestelijke prestatie.
8. Er was geen sprake van vrijblijvendheid. Hij had ja gezegd tegen dit podiumoptreden. Hij moest op tijd zijn, hij mocht niet blowen en drinken, hij moest de rapteksten in de juiste volgorde vertolken. Hij moest er staan!

Via bovenstaande beschrijving stellen we vast dat de succeservaring van Maikel voldoet aan de voorwaarden en kenmerken van een flow-ervaring. Ook in de interviews met risicojongeren en sociaal-agogische professionals werd gevraagd naar factoren die een succeservaring stimuleren en welke factoren een dergelijke ervaring tegenwerken. Deze slaag- en faalfactoren (ook wel meewerkende en tegenwerkende factoren genoemd) kunnen binnen de persoon zelf liggen (interne slaag- en faalfactoren), maar ook buiten de persoon (externe slaag- en faalfactoren).
Interne faalfactoren (If) zijn bijvoorbeeld de angst om fouten te maken, podiumvrees, slecht concentratievermogen.
Interne slaagfactoren (Is) zijn bijvoorbeeld de ambitie om een ster te worden, doorzettingsvermogen, stressbestendigheid.
Externe faalfactoren (Ef) zijn bijvoorbeeld slechte faciliteiten, ongeïnteresseerd publiek, een te moeilijke opdracht.
Externe slaagfactoren (Es) zijn bijvoorbeeld een stimulerende leefomgeving waar ouders positief staan tegenover de talentontwikkeling van hun kind, een enthousiaste begeleider, fans.

Een succesformule, geïnspireerd op de 'geluksformule' uit de positieve psychologie (zie paragraaf 4.1) zou er als volgt uit kunnen zien:

$$S (succes) = (Is - If) + (Es - Ef)$$

Succes kan tot stand komen als de interne en externe slaagfactoren groter zijn dan de interne en externe faalfactoren. In hoofdstuk 5 ga ik dieper en gedetailleerder in op meewerkende en tegenwerkende factoren bij talentcoaching om succeservaringen bij risicojongeren te stimuleren. In dat hoofdstuk zal de focus liggen op die factoren die beïnvloed kunnen worden door sociaal-agogische professionals.

4.3 Psychologische effecten van succeservaringen

Wanneer mensen vaker flow ervaren in het dagelijkse leven, worden zij meer uitgedaagd tot persoonlijke en culturele groei, zo stelt Csikszentmihalyi. Mensen kunnen door optimale ervaringen in een zogenoemd *flow-kanaal* komen, een positieve stroom waarbinnen mensen succes ervaren en zich welbevinden. Csikszentmihalyi poneert op basis van onderzoek dat het om de volgende psychologische effecten gaat:

- Men wordt autonomer, dus minder beïnvloedbaar door de buitenwereld, zelfbewuster en er is sprake van een complexer zijn (in positieve zin). Meer complexiteit betekent groei van het zelf.
- Er wordt geestelijke energie vrijgemaakt waardoor men het gevoel heeft de wereld aan te kunnen.
- Er is genot en plezier.
- Er ontstaat orde in het bewustzijn. Het vermogen om orde in chaos te scheppen groeit en men kan zich beter concentreren op het hier en nu.
- Er is sprake van meer innerlijke samenhang, maar ook in relatie met anderen is er meer evenwicht.
- Men leidt een leven van daden (vita activa) en een leven van bezinning (vita contemplativa).

In figuur 4.1 is het flow-kanaal van Csikszentmihalyi schematisch weergegeven (2005). Wanneer uitdagingen en vaardigheden in balans zijn, is de kans op succeservaringen het grootst. Er kunnen angstgevoelens optreden als de uitdagingen te groot zijn in relatie tot iemands vaardigheden. Wanneer de vaardigheden sterk ontwikkeld zijn, maar de uitdagingen achterblijven, zien we verveling optreden.

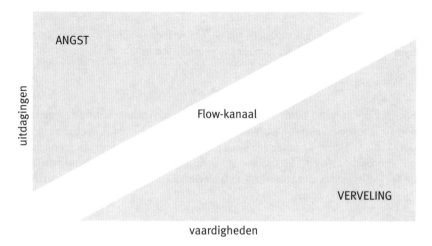

Figuur 4.1 Flow-kanaal van Csikszentmihalyi

Juist bij risicojongeren komen deze beide vormen van frustratie vaak voor: jongeren die faalangstig zijn en jongeren die zich vervelen. De redenen die jongeren zelf aangeven waarom ze veel op straat hangen en zich antisociaal gedragen, bevestigen dat. Veel jongeren blijken vaak te spijbelen of zelfs uit te vallen in het onderwijs omdat ze op school niet mee kunnen en niet gemotiveerd zijn. Daarnaast hebben geen hobby's en ze vervelen zich vaak. De verleiding is dan groot om uit verveling samen met leeftijdsgenoten op straat te hangen en grenzen van getolereerd gedrag op te zoeken (Winsemius, 2008).

Ook beschrijft Csikszentmihalyi het tegenovergestelde van flow: de toestand van innerlijke wanorde, de terugvallen en tegenslagen die men kan ervaren na een succeservaring. Hij noemt dit *psychische entropie*.

Natuurlijk kunnen we niet steeds op de toppen van ons kunnen presteren en zullen er momenten zijn van tegenslag, verlies, jaloezie, verdriet, bezorgdheid, demotivatie enzovoort. De psychische energie wordt daardoor onhandelbaar en ineffectief.
(Csikszentmihalyi, 2005)

Risicojongeren aan wie wij vroegen of ze deze entropie herkenden, vertelden levendige voorbeelden over terugvallen na een succeservaring, zoals blijkt uit onderstaande citaten.

Deelnemer *Attention on Tour*, Amsterdam:

Na een aantal space-ervaringen op het podium kwam ik toch weer in de verleiding drugs te gaan gebruiken en kwam ik weer in aanraking met vrienden van vroeger. Ik kon ineens niet meer op tijd komen en ook andere afspraken kwam ik niet na. Balen man, ik heb zo moeten vechten om weer uit het dal te kruipen. En bij Attention on Tour waren ze heel duidelijk. Ik was niet welkom als ik stoned was en ik moest me aan mijn afspraken houden. Ze bleven wel in mij geloven, dus als het wel weer lukte kreeg ik zelfs meer verantwoordelijkheden.

Deelnemer *Brotherhood*, Amsterdam:

Toen ik thuis veel moest oefenen met drummen, om mijn examen te halen bij Brotherhood, werd mijn moeder gillend gek en schold me uit. Of ik mijn tijd niet beter kon doorbrengen en of die ellendige herrie niet kon stoppen ... dat voelt dan als een trap in mijn kruis. De moed zakt me dan in de schoenen en ik denk dan dat ik het nooit zal redden ... Ik ben een paar weken niet naar repetities gegaan en ben bijna niet thuis geweest. Ik heb zomaar wat rondgezworven.

Naarmate de externe en interne faalfactoren groter worden dan de slaagfactoren, is de kans op een entropie het grootst:

(Ef + If) > (Es + Is) = Entropie

Ik zie hier een parallel met beschermende factoren en risicofactoren (zie paragraaf 2.3) in relatie tot de voorspelbaarheid van delinquent gedrag. Als de risicofactoren groter worden dan de beschermende factoren is de kans op delinquent gedrag het grootst.

Hoewel een entropie het opklimmen in het flow-kanaal in de weg kan staan en meestal als vervelend ervaren wordt, kan het juist een cruciale leerervaring zijn. Een terugval na een succeservaring is eigenlijk niet te vermijden. Dit is een belangrijk gegeven, waar professionals die jongeren begeleiden in talentprojecten zich zeer van bewust moeten zijn.
Risicojongeren die een terugval hebben na een succeservaring worden op zo'n moment op de proef gesteld en zullen ervoor moeten knokken weer opnieuw in een flow-kanaal te komen. Deze fasen van psychische entropie zijn vaak cruciaal. Als een entropie kan worden overwonnen, volgt meestal daarna een succeservaring die een jongere hoger in het flow-kanaal brengt. Voor professionals is het van belang te weten waar de grootste leerervaringen zitten: in de succeservaring of in de entropie.

4.4 Effecten van succeservaringen op gedragsverandering bij risicojongeren

Naast het bestuderen van literatuur over succeservaringen en flow is ook in de praktijk onderzocht in hoeverre succeservaringen invloed hebben op het gedrag van risicojongeren. Aan jongeren en ook aan professionals werd gevraagd of succeservaringen in de talentprojecten waaraan ze hadden deelgenomen, invloed hadden op het stoppen met delinquent gedrag. We vroegen of ze het fenomeen flow herkenden en in hoeverre er ook sprake was van terugvallen (entropieën). De jongeren die we selecteerden voor de gesprekken hadden allemaal deelgenomen aan talentprojecten. Van hen was van te voren bekend dat zij:

- onder de doelgroep risicojongeren vielen bij aanvang van het project;
- binnen de projecten succes hadden beleefd.

Tijdens het veldonderzoek werd gebruik gemaakt van een narratieve onderzoeksmethode. De levensverhalen van jongeren werden gebruikt als data om een antwoord te vinden op onze vraag.
Geïnspireerd door het flow-kanaal van Csikszentmihalyi ontwikkelden we een instrument om de gesprekken richting te geven en te structureren.

Dit instrument gaf veel houvast, zowel aan de onderzoekers als aan de respondenten, omdat het tevens een manier was om de verhalen te visualiseren. Het instrument noemden we het *succeskompas* (zie figuur 4.2).

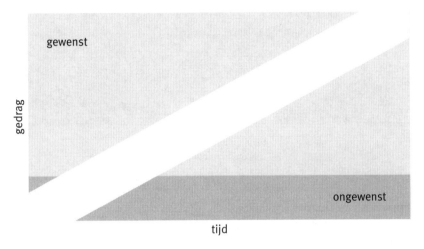

Figuur 4.2 Succeskompas

In figuur 4.2 is het succeskompas nog blanco, nog niet ingevuld. Het succeskompas is opgebouwd uit twee lagen: de eerste laag van het kompas, de grijze achtergrond, noemen we de *gedragsbalans* (zie figuur 4.3). De achtergrond van het succeskompas geeft een beeld weer van het gedrag van risicojongeren, dat een zigzagpatroon laat zien tussen gewenst en ongewenst gedrag. Ongewenst gedrag (waarmee we overlastgevend, antisociaal en delinquent gedrag bedoelen) wordt weergegeven in het donkergrijze gebied, gewenst gedrag wordt weergegeven in het lichtgrijze gebied.

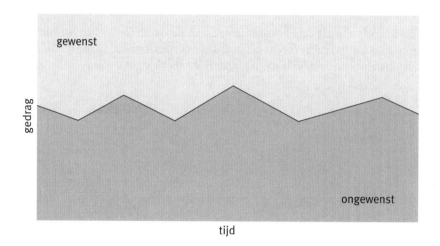

gewenst

gedrag

ongewenst

tijd

Figuur 4.3 Gedragsbalans van een risicojongere

Onze onderzoeksgroep risicojongeren (die met succes deelgenomen hebben aan talentprojecten) vertoonde bij aanvang van het project nog ongewenst (antisociaal, overlastgevend of delinquent) gedrag. Gedurende het project, en naarmate ze meer succes beleefden, veranderde het gedrag in gewenst gedrag. Een aantal jongeren vertelde regelmatig terug te vallen in oud (ongewenst) gedrag. Door de gedragsbalans als achtergrond van het succeskompas weer te geven, konden we in het schema vastleggen of een terugval leidde tot ongewenst gedrag (het donkergrijze gebied), of dat een jongere zich wist te handhaven (lichtgrijze gebied).

In de tweede laag van het succeskompas (figuur 4.2) is het *succespad* van de jongere te zien (de diagonale witte balk), waarin zowel flow-ervaringen als entropieën grafisch weergegeven kunnen worden.

In figuur 4.4 is een ingevuld succeskompas te zien. Deze grafische weergave van een verhaal van een risicojongere geeft inzicht in het verloop van zijn succeservaringen en hoe deze afgewisseld zijn met terugvallen (entropieën). Aan de grijstint op de achtergrond van de figuur is te zien in hoeverre een succeservaring of entropie invloed heeft gehad op het gedrag van de respondent.

Onderstaand succeskompas geeft het verhaal weer van Andries, een jongen van twintig jaar. Voordat hij mee heeft gedaan met het talentproject Hype[1] zat hij in het leger.

---

1. Het Hype project is een populair Hip Hop Youth Pana Event georganiseerd door Jongerenwerk Attak in Tilburg, een evenement waarin jongeren podiumkunsten vertonen en strijden om de HYPE awards.

Zijn contract werd daar niet verlengd. Destijds woonde hij in Amsterdam. Omdat hij zijn huur niet meer kon betalen is hij naar Tilburg verhuisd om bij zijn tante te gaan wonen. In Tilburg hing hij vaak rond op straat, waar hij overlast veroorzaakte. Hij heeft geen ernstige delicten gepleegd. In figuur 4.4 is zijn verhaal, dat gepaard ging met wisselende successen en terugvallen, grafisch weergegeven. De nummers in de witte balk verwijzen naar de momenten van een succeservaring en momenten van een entropie.

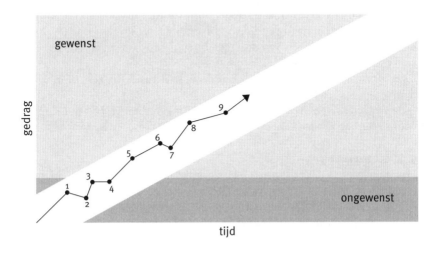

Figuur 4.4 Een ingevuld succeskompas

1. Succeservaring

Andries is in het succespad gekomen omdat hij op het podium van Popcentrum 013 wilde staan en besloten had daar veel moeite voor te doen. Hij droomde ervan dat hij dan als muzikant gezien zou worden en dat ze hem zouden waarderen voor de dingen die hij zou doen. Hij wilde zich zó graag inschrijven dat hij iedere dag in het jongerencentrum kwam. Hij was daardoor minder op straat en leerde andere jongeren kennen.
Interne slaagfactor: hij heeft een helder doel voor ogen.
Externe slaagfactor: hij wordt gestimuleerd door andere jongeren.

2. Entropie

De inschrijftijd voor het project was nog niet van start gegaan. Hij ervoer dat als een entropie. Hij moest daar lang op wachten. Hij verveelde zich en hing veel op straat waar hij weer door oude bekenden verleid werd om te blowen.
Externe faalfactoren: het duurt te lang voordat er een plek vrijkomt in het project. Er is te weinig uitdaging in het jongerencentrum zodat het aantrekkelijk is oude vrienden weer op te zoeken.
Interne faalfactor: zijn verslaving aan softdrugs.

3. Succeservaring

Hij had het doel om mee te doen met het Rap-project niet opgegeven. Hij werd vrijwilliger om meer kans te maken op deelname aan het project. *Interne slaagfactor*: de drive om een goede rapper te worden. *Externe slaagfactor*: de kans om als vrijwilliger mee te helpen in het project geeft hem een uitdaging.

4. Entropie

Het heeft nog ruim drie maanden geduurd voordat hij zich kon inschrijven voor het project. In de tussentijd was hij één dag in de week vrijwilliger voor het jongerenwerk, de rest van de dagen hing hij rond op straat. Hij verveelde zich opnieuw. *Interne faalfactor*: grote afhankelijkheid van structuren die hem houvast bieden. *Externe faalfactor*: een structurele dagbesteding ontbreekt. Het duurt te lang voordat hij aan de slag kan.

5. Succeservaring

Het moment was daar dat hij zich kon aanmelden voor het project, hij mocht meedoen en heeft zijn rap-tekst geschreven, veel geoefend en een show in elkaar gezet. Hoewel hij er heel hard voor moest werken gaf het hem een kick te ervaren dat hij talent had. Hij werd door begeleiders erg op de huid gezeten. Er werd veel discipline geëist en de afspraken waren keihard. Daarnaast was er ook veel waardering als hij liet zien dat hij er hard voor wilde werken en er echt voor wilde gaan. Hij ging geloven in zichzelf. *Interne slaagfactor*: behoefte om te presteren wordt bevredigd. Het geloof in zichzelf wordt versterkt. *Externe slaagfactor*: hij krijgt aandacht voor zijn talent en de kans dit te ontwikkelen. Hij wordt uitgedaagd door professionals en andere jongeren die betrokken zijn bij het project. Discipline, regels en structuur geven hem houvast.

6. Succeservaring

Tijdens een uitvoeringsdag kreeg hij een beveiligingstaak om jongeren niet voorbij de dranghekken te laten gaan. Dit was een belangrijke taak voor hem, hij nam dat heel serieus. De taak werd belangrijker dan het optreden zelf. *Interne slaagfactor*: het gevoel van eigenwaarde wordt versterkt. *Externe slaagfactor*: de rol van assistent-beveiliger geeft hem status. Het feit dat professionals hem deze taak toevertrouwen, geeft hem voldoening en trots.

7. Entropie

Hij ging nadenken over zijn leven en wat hij wilde bereiken. Wilde hij jongerenwerker worden of wilde hij iets anders gaan doen? Periode van twijfel. *Interne faalfactor*: verwarring over identiteit en toekomstperspectief. Wie ben ik, wie wil ik zijn en wie wil ik worden?

8. Succeservaring

Hij heeft de beslissing genomen om jongerenwerker te worden, dat is wat hij wilde. Met als uiteindelijke doel: als voorbeeld fungeren voor jongeren die in eenzelfde situatie zitten en laten zien dat het mogelijk is uit dat dal te komen. *Interne slaagfactor*: een nieuw perspectief, een nieuwe drive en een nieuwe missie. Een wilsbesluit: hij wil echt stoppen zich antisociaal te gedragen en hij wil een voorbeeld voor andere jongeren zijn.

9. Lichte entropie

Hij heeft zich aangemeld voor de mbo-opleiding Sociaal Cultureel Werk. Hij moest in spanning afwachten of hij aangenomen zou worden, er was nog maar één plaats binnen de opleiding. De jongerenwerker heeft hem geholpen om de brief te versturen.
Interne faalfactor: onzekerheid en weinig zelfvertrouwen brengen hem uit balans.
Externe slaaffactor: de jongerenwerker gelooft in het talent en de toekomst van deze jongen en begeleidt hem bij de inschrijving voor de opleiding Sociaal Cultureel werk.

10. Succeservaring

Hij is aangenomen en kan starten met de opleiding. Dat is opnieuw een piek omdat hij nu kan werken aan zijn droom.
Externe slaagfactor: positief bericht van de opleiding dat hij aangenomen is, geeft een enorme stimulans.

De rest van het succespad is nog 'in progress' zoals hij dat zelf aangaf. Hij vertelt dat hij na een jaar mbo een nieuw doel voor ogen heeft. Hij wil een hbo-opleiding Culturele Maatschappelijke Vorming gaan doen en een goede jongerenwerker worden.

Uit de verhalen van onze respondentengroep (risicojongeren en professionals) bleek dat er inderdaad sprake kan zijn van een positieve gedragsverandering naarmate deze jongeren vaker succes ervaren binnen de creatief-agogische trajecten. De zeven jongeren die we hebben geïnterviewd waren gestopt met criminele activiteiten en vonden allemaal werk of gingen weer naar school. Voor hen hadden de projecten als een springplank gefunctioneerd en een negatieve spiraal doorbroken. We moeten hierbij wel opmerken dat van de groep jongeren die geselecteerd was van te voren bekend was dat zij de projecten succesvol hadden doorlopen. Dit was een bewuste keuze omdat we via de interviews twee vragen wilden onderzoeken: (1) Welke factoren bevorderen succeservaringen bij risicojongeren? (2) In hoeverre kunnen die succeservaringen bijdragen aan gedragsverandering?
Bekend is dat heel veel risicojongeren de projecten niet succesvol doorlopen hebben. En als jongeren op het goede pad terecht gekomen zijn, weten we

niet altijd waarom zij stopten met delinquent gedrag. We zijn ons er dan ook van bewust dat op basis van het empirisch materiaal geen harde uitspraken mogelijk zijn over de effectiviteit van de interventies waar we naar gekeken hebben. We hebben geen effectmeting gedaan.

In hoofdstuk 5 bespreek ik de vraag wat de rol van sociale professionals is bij het bevorderen van succeservaringen binnen creatief-agogische talentprojecten.

Hoofdstuk 5

Hoe kunnen sociale professionals succeservaringen bij risicojongeren bevorderen?

Uit gesprekken met de respondenten bleek dat succeservaringen van risico-jongeren een positieve invloed kunnen hebben op het uitblijven van delin-quent gedrag. Een succeservaring zou je als een beschermende factor kunnen beschouwen met betrekking tot het ontwikkelen van delinquent gedrag. Het is dus belangrijk te onderzoeken *hoe* sociaal-agogische professionals succe-servaringen bij risicojongeren kunnen bevorderen. Met andere woorden: wat zijn de slaag- en faalfactoren van creatief-agogische interventies in het werken met risicojongeren? Ofwel: Hoe werkt talentcoaching? Wat maakt talentcoaching kansrijk?

In paragraaf 5.1 presenteer ik het analysemodel, met een indeling op vier ni-veaus, waarmee geprobeerd is een ordening aan te brengen in de vele factoren die beïnvloed kunnen worden door sociaal-agogische professionals.

De vier niveaus (motivatie, discipline, vaardigheden en feedback) worden vervolgens uitgewerkt in paragraaf 5.2 tot en met 5.5.

5.1 Een vierdimensionaal analysemodel

Zoals uit vorige hoofdstukken bleek zijn er vele factoren die invloed kunnen hebben op het al dan niet bereiken van een succeservaring door risicojongeren. Niet alle factoren zijn te beïnvloeden door sociaal-agogische professionals. Een jongerenwerker zal bijvoorbeeld niet altijd bij machte zijn invloed te hebben op de betrokkenheid van ouders vanwege de context waarbinnen een talentproject plaatsvindt. Ook heeft de jongerenwerker geen enkel dwangmiddel, want deelname aan de projecten vindt plaats op vrijwillige basis. Dit kan overigens zowel een slaagfactor als een faalfactor zijn.

De factoren die wel beïnvloedbaar zijn door sociaal-agogische professionals, zijn geordend op vier niveaus waarop interventies kunnen plaatsvinden. Deze ordening is tot stand gekomen als resultaat van het bestuderen van de theorie over flow van Csikszentmihalyi (1999, 2001, 2005). De voorwaarden die volgens Csikszentmihalyi nodig zijn om flow te kunnen ervaren, zijn sturend geweest voor het ordeningskader dat we het *vierdimensionaal analysemodel* hebben genoemd. De vier niveaus waarop een talentcoach intervenieert zijn:
- motivatie;
- discipline;
- vaardigheden;
- feedback.

Het vierdimensionaal model is na bespreking met een klankbordgroep van jongerenwerkers, docenten, studenten Sociale Studies van Avans Hogeschool en medewerkers van het lectoraat Jeugd en Veiligheid gebruikt bij het formuleren van de topics die sturend waren voor de interviews en de analyse van alle data.
In tabel 5.1 worden de vier niveaus toegelicht.

Tabel 5.1 Vierdimensionaal analysemodel (Battle zonder knokken)

Motivatie	Discipline	Vaardigheden	Feedback (materieel en immaterieel)
Professioneel perspectief: Alle interventies die gericht zijn op het versterken van de intrinsieke drijfkracht van jongeren om het beoogde doel te bereiken. Jongeren-perspectief: Factoren die gericht zijn op: *Willen*	Professioneel perspectief: Alle interventies die te maken hebben met afspraken maken, regels opstellen, structuren hanteren en uitlokken van een grote fysieke en psychische inspanning. Jongeren-perspectief: Factoren die gericht zijn op: *Moeten*	Professioneel perspectief: Alle interventies die gericht zijn op het ontwikkelen van een breed repertoire aan handelings-mogelijkheden. Jongeren-perspectief: Factoren die gericht zijn op: *Kunnen*	Professioneel perspectief: Alle interventies die te maken hebben met de reactie op de prestatie en het gedrag van de risicojongere, zowel in positieve als in negatieve zin, zowel in materieel als immaterieel opzicht. Jongeren-perspectief: Factoren die gericht zijn op: *Krijgen*

In paragraaf 5.2 tot en met 5.5 werk ik uit wat de interviews met risicojongeren en professionals hebben opgeleverd, waarbij de vier niveaus van het analysemodel als ordeningsprincipe zijn aangehouden. Elk paragraaf wordt ingeleid met inzichten uit relevante bronnen (vakliteratuur, artikelen, documentaires).

5.2 Motivatie

Motivatie komt van het Latijnse woord 'movere': in beweging brengen.
Wat brengt mensen in beweging? Waarom doen we de dingen zoals we ze doen? Wat zijn de beweegredenen voor ons gedrag? Welke krachten spelen daarbij een rol?
Volgens Klomp e.a. (2004) verwijst motivatie naar een innerlijke gesteldheid die aanleiding is tot het ontstaan of het nalaten van bepaald gedrag.

Roede (1993) onderscheidt drie aspecten in het begrip motivatie:

- De oorsprong of richting van het gedrag: mensen verschillen in de doelen die ze nastreven. Deze doelen geven richting aan ons gedrag en vormen de motivatie voor ons handelen. Naast doelen spelen ook angsten een rol. Dingen waar we bang voor zijn en die we liever niet zouden doen. Ook eisen uit de omgeving spelen daarbij een rol. En uit angst voor afkeuring doen we soms dingen die we net zo lief zouden vermijden.
- De intensiteit van het gedrag: de motivatie om iets te willen bereiken kan sterk of minder sterk zijn. Iemand kan bepaalde doelen nastreven, maar tegelijk bepaalde behoeften hebben die daarmee strijdig zijn. Een risicojongere kan bijvoorbeeld het doel hebben een voetbalster te worden, maar tegelijk de behoefte voelen bij een groep te horen waar hard trainen niet *chill* is. In dit voorbeeld werken de krachten tegengesteld, zodat ze elkaar opheffen. Het uiteindelijke resultaat van de verschillende krachten bepaalt de sterkte van de motivatie en de intensiteit van het gedrag.
- De volharding van gedrag: motivatie heeft ook te maken met de duurzaamheid van het gedrag. Er zijn jongeren die snel afhaken. Anderen bijten zich ergens in vast en zetten ondanks tegenslagen toch door.

Veel gedrag komt primair voort uit persoonlijke behoeften van mensen. Maslow (1972) onderscheidt verschillende behoefteniveaus die zich hiërarchisch tot elkaar verhouden:

- *Primaire behoeften* zoals de behoefte aan voedsel, lucht, slaap en warmte; de behoefte aan veiligheid en zekerheid.
- *Sociale behoeften*, de behoefte om erbij te horen, contact te maken met anderen.
- *Behoefte aan eigenwaarde*, de behoefte om iets te presteren en daardoor erkend en gewaardeerd te worden.
- *Behoefte aan zelfontplooiing*, het verlangen naar nieuwe ervaringen en ontwikkeling.

We zijn ons niet van alle behoeften bewust. Op het moment dat we ons van onze behoeften bewust zijn (*manifeste behoeften*), kunnen we op zoek gaan naar bevrediging daarvan. Behoeften waar we ons niet bewust van zijn noemen we *latente behoeften*. We worden ons vaak pas van behoeften bewust als we rechtstreeks geconfronteerd worden met mogelijkheden tot vervulling. Zo kan een goede ervaring met een activiteit ons doen verlangen naar een herhaling (Van Rosmalen, 1999). Dit is interessant in het licht van creatiefagogische talentprojecten. Risicojongeren zijn zich vaak niet bewust van hun behoeften, en er is ook geen prikkeling om die te onderzoeken. Een ervaring met een nieuwe activiteit heeft soms het effect dat er een behoefte ontstaat aan vervolg. De ontdekking van talent (de vonk) is een eerste stap op de ladder van de behoefte aan eigenwaarde. Volgens de behoeftehiërarchie van Maslow kan een risicojongere op die manier doorgroeien naar de volgende trede: de behoefte aan zelfontplooiing.

Binnen veel leer- en speltheorieën (onder andere uit het ervaringsleren) wordt motivatie onderverdeeld in krachten van binnen en krachten van buitenaf. Krachten van binnenuit noemen we ook wel de *intrinsieke motivatie*. Personen die intrinsiek gemotiveerd zijn, zijn niet gemotiveerd vanwege het ontvangen van een beloning of het vermijden van straf. Ze zijn gemotiveerd door en voor de activiteit zelf. De innerlijke *drive* komt tot stand door behoefte aan nieuwsgierigheid, competentie en efficiëntie en de behoefte om zelf controle te hebben op gedrag en de resultaten ervan (Klomp e.a., 2004). Bij *extrinsieke motivatie* wordt een persoon vooral in beweging gebracht door prikkels van buitenaf, zoals beloningen, toekomstperspectieven en de invloed van de omgeving. Lens en Depreeuw (1998) merken op dat jongeren vaak in het hier en nu leven, wat volgens hen één van de grote oorzaken van demotivatie is. Zij hebben een kort toekomstperspectief en geven daarom de voorkeur aan onmiddellijk bereikbare genoegens en resultaten.

Tot slot bespreek ik nog kort een centraal uitgangspunt van activatietheoretici zoals Fiske, Hutt, Maddi en Csikszentmihalyi. Zij stellen vast dat de mens streeft naar het juiste midden tussen onderspanning en overspanning. De technische termen die zij gebruiken voor spanning zijn: *arousal* en *activatie*. Deze begrippen verwijzen naar de mate van spanning/opwinding die een persoon op een bepaald moment ervaart. Een optimaal arousal-niveau levert een gevoel van welzijn op (Van Rosmalen, 1999).

Speltheoretici stellen dat kunstzinnige en ludieke activiteiten zowel spanning kunnen oproepen als een spanningsverlagende werking of een spanningsregulerende functie kunnen hebben. In het kader van dit onderzoek is het belangrijk dat creatief-agogisch werkers zich bewust zijn van de motiverende werking die uitgaat van creatieve, sportieve en speelse activiteiten. Binnen het vakjargon van het Creatief Agogisch Werk noemen we dit de *appèlwaarden* van muzische en ludische middelen. Het verwijst naar de manier waarop deze middelen een prikkelende, motiverende werking op een persoon kunnen hebben. Appèlwaarden zijn altijd persoons- en activiteitgebonden.

Wat zegt de respondentengroep (ex-)risicojongeren en talentcoaches over het bevorderen van motivatie? Welke factoren hebben invloed op hun intrinsieke drijfkracht?
Samenvattend noem ik hieronder de meest opvallende bevindingen (Hamels, 2007).

Uitdagend aanbod: inhoud en niveau
Wat betreft het activiteitenaanbod dienen professionals aan te sluiten bij de

belevingswereld en trends van jongeren. Jongerenwerkers die jongeren bijvoorbeeld op straat proberen te bereiken en te motiveren voor deelname aan de projecten zullen goed op de hoogte moeten zijn van de uitingsvormen die horen bij de 'straatcultuur' van jongeren. Daar passen bepaalde muziekstijlen, bewegingsstijlen en beeldtaal bij, zoals graffiti, rap, streetdance, skaten en straatvoetbal. Jongerenwerkers maken bewust gebruik van de prikkelende werking (appèlwaarden) van de activiteiten die zich afspelen binnen de jongerencultuur en de straatcultuur. We noemen deze techniek: *animeren*, of het *uitlokken van creatieve processen*, altijd gericht op het positief uitlokken van intrinsiek gemotiveerd gedrag (Van Rosmalen, 1999).

Wat betreft het niveau van de activiteiten moet de lat hoog liggen, maar wel in redelijke verhouding staan tot vaardigheden die jongeren kunnen ontwikkelen. Creatief-agogische professionals moeten met hun activiteitenaanbod maatwerk leveren en ze moeten in kunnen spelen op verschillende niveaus. Uit veldonderzoek blijkt dat jongeren beter te motiveren zijn als het doel niet al te gemakkelijk te halen is, enige inspanning vraagt, maar na redelijk korte tijd tot succes leidt. Via extrinsieke motivatie (door bijvoorbeeld een prijs kunnen winnen) vindt geleidelijk een omslag naar intrinsieke motivatie plaats.

Aanzien
Zowel jongeren als professionals geven aan dat het verkrijgen van aanzien en status een sterk motiverende invloed heeft. Het applaus dat jongeren na een optreden krijgen heeft vaak het effect dit vaker te willen ervaren (ontwikkeling van prestatiebehoefte). Als jongeren vaker succes ervaren en hun talent doorontwikkelen, komen ze in het stadium dat ze zelf als assistent les kunnen geven aan nieuwe generaties deelnemers in de projecten. Dit geeft een enorm gevoel van eigenwaarde en motiveert jongeren zichzelf verder te ontwikkelen. Het doorgroeien op artistiek of sportief terrein vraagt om andere vaardigheden die weer nieuwe uitdagingen met zich meebrengen.

Rolmodelwerking
Jongeren zijn erg gevoelig voor 'goede voorbeelden' waar ze zich aan op kunnen trekken. Bij risicojongeren die zich op het criminele pad begeven werkt dit principe precies op dezelfde manier, maar dan met tegengesteld effect. In dat geval trekken zij zich vaak op aan criminele zwaargewichten dan pakken de effecten van de motiverende werking negatief uit (Weijers & Eliaerts, 2008). Bij rolmodelwerking binnen talentprojecten wordt de positieve motiverende werking van rolmodellen bedoeld (Terwijn, 2006).

Idolen, beroemde artiesten en succesvolle populaire leeftijdsgenoten kunnen soms meer bewegen (motiveren) dan ouders, leraren of jongerenwerkers. Bij creatief-agogisch werken dien je als professional daar bijzonder alert op te zijn. Hoewel je deskundig bent in het begeleiden van agogische processen, ben je soms juist niet de persoon, het rolmodel, waarmee jongeren zich willen identificeren en dus veel van aannemen. Om die reden worden er in talentprojecten vaak artiesten of vakdocenten uit kunst- en sportdisciplines bij de samenwerking betrokken.

Risicojongeren die door de projecten succes hebben geboekt, fungeren ook vaak als rolmodel voor nieuwe generaties risicojongeren. 'Ik weet niet alleen wat een beginner doormaakt, maar ik begrijp hem donders goed omdat ik in hetzelfde schuitje heb gezeten. De jongerenwerker is de professional, maar ik ben de ervaringsdeskundige!', zo sprak een respondent.

Vrijplaats creëren

Een belangrijke slaagfactor binnen creatief-agogische projecten is het creëren van de zogenoemde *sociaal-culturele vrijplaats*. Dit is een omgeving waar andere regels en normen gelden dan de heersende wettelijke, bedoeld om jongeren te laten experimenteren met nieuw gedrag. Het belangrijkste kenmerk van deze vrijplaats is de mogelijkheid voor jongeren om fouten te maken, zonder daar meteen op afgerekend te worden. Jongeren worden niet afgewezen, maar steeds weer gestimuleerd om door te gaan met het experiment. Een vrijplaats is niet vrijblijvend en de interacties vinden altijd onder begeleiding van professionals plaats (De Waal, 2008).

Binnen veel talentprojecten zijn er workshops die deze vrijplaatsfunctie vervullen. In het project *All Stars* (Koswal, 2006) is het podium zo'n vrijplaats, waar in principe alleen maar winnaars zijn. Het meedoen is in het begin belangrijker dan het winnen.

Professioneel handelen

Welke concrete handelingen van de sociaal-agogische professional zijn gericht op motivatie? Dat zijn:

- uitdagen, uitlokken en verleiden;
- doelen stellen;
- perspectief bieden;
- kansen bieden.

5.3 Discipline

Het woord discipline roept bij velen associaties op als strenge aanpak, afzien, regels, structuur, drillen, regelmaat. Dit zijn allemaal woorden die te maken hebben met beheersing. Het beheersen van vaardigheden, beheersen van gedrag, beheersen van de leef- werk- of speelomgeving.

In het publieke en politieke debat over de aanpak van risicojongeren wordt het woord discipline ook graag gebruikt en soms zelf als doel gesteld door hen die pleiten voor een harde aanpak van moeilijke jongeren. Na elk incident, vaak breed uitgemeten in de media, klinkt de roep om strengere straffen, meer toezicht en meer drang en dwang (Kooijmans & Spierts, 2008). Men is geneigd te denken dat het disciplineren van risicojongeren alleen via een repressieve aanpak mogelijk is en dat we in het verleden een te tolerant, soft klimaat hebben gecreëerd. Het jongerenwerk wordt vaak in één adem genoemd met de *soft-line approach*, de zachte aanpak, terwijl met de *hard-line approach* de meer justitiële interventies worden bedoeld. Uit wetenschappelijk onderzoek blijkt dat een harde aanpak van probleem-jongeren, door bijvoorbeeld harder te straffen, niet het gewenste effect heeft. In het RMO-rapport *Tussen schofferen en flaneren* (2008), over de aanpak van hangjongeren, wordt een combinatie van softe en harde aanpak geadviseerd. Wellicht is er dan een omslag nodig in het jeugdbeleid en moeten ook jongerenwerkers en creatief-agogisch werkers zich op een andere manier professionaliseren. Dit debat wordt momenteel stevig gevoerd en meer dan ooit wordt er belang gehecht aan toegepast wetenschappelijk onderzoek om vast te stellen welke factoren binnen creatief-agogische projecten bijdragen aan het disciplineren én het stimuleren en begeleiden van deze jongeren.

Regels en structuur

Zoals Csikszentmihalyi (2005) vaststelt dat regels en discipline nodig zijn om flow-ervaringen te kunnen beleven, zo geven ook jongeren en professionals aan dat er een zekere basis aan regels en ritme nodig is om goed te kunnen functioneren en presteren.

Kenmerkend voor talentprojecten is dat zij vrijwel altijd plaatsvinden binnen een vrijwillige context. Jongeren nemen op vrijwillige basis deel aan de trajecten. Er is geen sprake van dwang, dus wat betreft het disciplineren blijft dit een democratisch proces. Professionals geven aan dat regels het meest effectief zijn als zij in samenspraak met de jongeren zijn gemaakt en als er tevens afgesproken wordt wat de gevolgen zijn als iemand zich niet aan de regels houdt. Dit kan betekenen dat deelname aan een project uiteindelijk niet meer mogelijk is. Er worden individuele afspraken gemaakt, maar soms ook per groep. Vrijwilligheid is dus niet hetzelfde als vrijblijvendheid. Jongeren ervaren de regels soms als streng, maar zeggen tegelijkertijd dat ze het prettig vinden als ze weten waar ze aan toe zijn. Omdat de doelgroep risicojongeren in het algemeen een afkeer heeft van opgelegde regels en auto-riteit, is het van cruciaal belang dat de afspraken en regels 'van hen' zijn en zij ook elkaar onderling corrigeren wanneer regels overtreden worden.

Inspanning

Een andere slaagfactor die veel genoemd wordt bij de dimensie 'discipline' is het feit dat jongeren zich enorm moeten inspannen om hun doelen te halen. Het bereiken van succes gaat vaak samen met eindeloos oefenen, trainen en repeteren. Soms moet je knokken om je doel te kunnen bereiken en dat vereist een uiterst fysieke en/of geestelijke inspanning. Daarna geeft het veel voldoening. Een talentcoach is belangrijk bij het stimuleren en faciliteren van dit proces. Jongeren hebben vaak een nieuwe impuls nodig, vooral als zij dreigen terug te vallen in oud gedrag. Soms is dat een materiële impuls (bijvoorbeeld mogen oefenen op een beroemd poppodium, of het gratis gebruik maken van een instrument), maar vaak is er sprake van immateriële impulsen: oppeppen, moed inspreken, confronteren, opnieuw uitdagen (zie ook paragraaf 5.5 over het geven van feedback).

Disciplinerende werking van het medium zelf
Ook de activiteit zelf kan een disciplinerende werking hebben. Hier ga ik kort in op een van de prikkelwaarden van muzische en ludische middelen, in het bijzonder van sportieve activiteiten. Sport heeft als creatief-agogisch medium de kwaliteit in zich dat er een disciplinerende werking van uitgaat. Uit onderzoek blijkt dat sport veel structuur biedt en jongeren prikkelt om zich zowel fysiek als mentaal in te spannen. Teamsport heeft daarnaast nog een prikkelende werking bij het omgaan met regels en afspraken, bijvoorbeeld in verband met samenwerking en samenspel (Stichting SSB: Sport en Sociale Begeleiding, 2009). Ook het competitie-element dat vaak in sport besloten ligt, doet een appèl op jongeren om er hard voor te willen werken.
In de projecten die beschreven zijn in paragraaf 3.3 is het KICK Project uit Breda een mooi voorbeeld: daar sluit de methodiek aan bij zowel het motiveren als disciplineren van risicojongeren.

> Kickboxen sluit aan bij de belevingswereld van deze jongeren. Het is aantrekkelijk en heeft status, maar vraagt veel inspanning en doorzettingsvermogen. Na verloop van tijd zie je dat jongeren juist energie krijgen van het ritme, maar daarvoor moeten ze vaak ermee geconfronteerd worden dat ze de discipline zelf kunnen ontwikkelen. Bij kickboxen kun je snel één op één ingrijpen en feedback geven.
> (Koning e.a., 2007)

5.4 Vaardigheden

In literatuur over motiveren wordt benadrukt dat de uitdaging in balans moet zijn met vaardigheden waarover jongeren beschikken, als voorwaarde voor succes (Klomp e.a., 2004; Van der Weijden & Witte, 2008).
In hoeverre, en tot welk niveau, kan een talentcoach invloed uitoefenen op het ontwikkelen van vaardigheden? En over welke vaardigheden gaat het eigenlijk?

Hier komen we op het punt waar agogiek en didactiek elkaar kruisen. Binnen de creatief-agogische methodiek is er vaak discussie over *doel* en *middel* van de creatieve interventie.
Bij professioneel voetbal is het duidelijk: voelbal is doel op zich. De coach is erop gericht zijn voetballers uiterst vakbekwaam te maken, ze als voetballers optimaal te laten presteren.

Op de theaterschool is het ook duidelijk: de vakdocenten spannen zich om in de leerlingen op te leiden tot gerenommeerde acteurs. Theater maken als kunstvak is het hogere doel. Hetzelfde geldt voor het conservatorium: muziekontwikkeling is het doel.

Alle professionals die betrokken zijn bij een dergelijk proces zijn didactisch geschoold en gericht op de ontwikkeling van vakmanschap, het aanleren van een bepaald ambacht.

Bij creatief-agogische projecten ligt dat anders. Daar zijn sport, theater, dans en muziek middelen om een agogisch doel te bereiken. Agogische doelen, zoals ook beschreven in hoofdstuk 3, overstijgen het creatieve of sportieve vak en zijn gericht op persoonlijke groei, gedragsverandering en welbevinden van mensen. In het werken met risicojongeren is het agogisch doel het voorkomen of beheersen van delinquent gedrag en worden creatieve en sportieve middelen ingezet om dit doel te bereiken.

Vanuit het perspectief van risicojongeren zelf ligt het stellen van doelen meestal op een ander vlak dan voor de creatief-agogische professional. Een risicojongere wil goed worden in bijvoorbeeld graffiti of streetdance en voor hem is dat het primaire doel. Voor de jongere is de focus gericht op het vaardig worden in de activiteit (of het ambacht) zelf, terwijl tegelijkertijd de professional andere (agogische) doelen nastreeft.

Binnen creatief-agogisch werken wordt om die reden onderscheid gemaakt in:

- *Vakspecifieke doelen*: gericht op het ontwikkelen van een ambacht of op het beheersen van een kunstzinnige, creatieve of sportieve techniek.
- *Vakoverstijgende doelen*: gericht op het ontwikkelen van sociale vaardigheden, persoonlijke groei en gedragsverandering.

Hoewel voor jongeren beide type vaardigheden door elkaar heen en tegelijkertijd ontwikkeld kunnen worden, is het voor de professionals van groot belang steeds bewust te zijn op welke vaardigheden (en dus doelen) de interventie gericht is en wat een jongere in elke fase aan begeleiding en impulsen nodig heeft om succes te kunnen ervaren.

Vakspecifieke vaardigheden

Binnen de talentprojecten die in paragraaf 3.3 als voorbeelden zijn beschreven, is er steeds sprake van activiteiten met als doel het ontdekken en ontwikkelen van creatieve en/of sportieve talenten van jongeren. In veel gevallen zijn creatief-agogisch werkers vanuit muzische en ludische deskundigheid zelf in staat deze vakspecifieke vaardigheden bij te brengen. Een valkuil is echter dat deze sociale professionals geen experts zijn, en al helemaal niet binnen één bepaalde discipline uitblinken. Jongerenwerkers zijn meestal breed geschoold waar het gaat om sportieve en creatieve competenties.

Vanwege de vakspecifieke doelen die in de talentprojecten worden nagestreefd, wordt er binnen veel projecten bewust samenwerking gezocht met professionals die wel specialist of expert zijn; vakdocenten, sportcoaches, artiesten, kunstenaars enzovoort. Zij zijn er dan ook op gericht het beste in de jongeren naar boven te halen waar het gaat om het specifieke vak, een sport of kunstdiscipline. De creatief-agogische professional is steeds gericht op het managen van dit proces van de artistieke of sportieve ontwikkeling van de jongere. Dit betekent: het faciliteren van geschikte ruimtes en geschikte instrumenten en materialen, plannen en organiseren van workshops met deskundige en uitdagende experts, organiseren van mogelijkheden voor de jongeren om te trainen en te oefenen, organiseren van audities, optredens en wedstrijden.

Vakoverstijgende vaardigheden
Tijdens het werken aan talentontwikkeling worden er ook diverse andere vaardigheden getraind, waar juist sociale professionals het meest op gericht zijn. Afhankelijk van de doelgroep en de doelstellingen kan het om verschillende vaardigheden gaan: samenwerken, omgaan met regels, reguleren van agressie, omgaan met kritiek, accepteren van gezag, reflecteren op eigen gedrag, problemen bespreekbaar maken, faalangst overwinnen, zelfvertrouwen krijgen enzovoort. Voor talentcoaches is het creatieve of sportieve medium een middel om te werken aan de agogische doelen.

5.5 Feedback

Feedback geven lijkt binnen het sociaal-agogisch domein een vanzelfsprekendheid. Daar schuilt tevens de valkuil, want steeds zul je als professional bewust moeten afwegen op welke wijze en wanneer je feedback geeft. Het is helemaal geen vanzelfsprekende aangelegenheid!
Wederom wenden we ons tot de theorie van Csikszentmihalyi (2005), die opmerkt dat een voortdurende interne en externe feedback voorwaarden zijn om flow te kunnen ervaren. Met interne feedback bedoelt hij de innerlijke stem van een persoon die een succeservaring beleeft: 'Ik kan het! Het gaat lukken! Ik ga mijn record verbreken!'
Met externe feedback worden reacties van buitenaf bedoeld, zoals applaus, aanmoedigingen, complimenten, commentaar of kritiek. Feedback van een creatief-agogische professional is dus externe feedback die van grote invloed is op de succeservaring van jongeren, zo blijkt uit de gesprekken.

Immateriële feedback en materiële feedback
In deze paragraaf maak ik onderscheid tussen twee soorten feedback die je veel ziet binnen talentprojecten:
* *Immateriële feedback.* Bestaat uit bijvoorbeeld de verbale impulsen die een jongere krijgt naar aanleiding van bepaalde prestaties of bepaald gedrag. Dit kan natuurlijk positief of negatief zijn, maar altijd bedoeld als opbouwende kritiek. Denk aan complimenten, applaus, een confronterende opmerking,

waardering, een standje, peptalk, een corrigerende opmerking, een technische aanwijzing enzovoort.

- *Materiële feedback.* Is tastbaar en voor jongeren vaak heel waardevol. Het kan gaan om een certificaat, een diploma, een prijs, een rapport, maar ook om bijvoorbeeld een zakcentje, extra workshops, het kunnen gebruiken van instrumenten of andere middelen, kleding of andere spullen die status opleveren.

In de projecten die we hebben gescand kwamen we allerlei varianten tegen. De gesprekken met professionals leverden de volgende voorbeelden op van materiële en immateriële feedback.

Aandacht, belangstelling en contact (ABC-methode)

Omdat risicojongeren over het algemeen een negatief zelfbeeld hebben en weinig zelfvertrouwen, is het voortdurend terugkoppelen van prestaties, het bevestigen van positieve resultaten en het geven van waardering van cruciaal belang. Het geloof in hen en de blijvende interesse in de dingen die ze doen, mag volgens de professionals niet inzakken. Een professional spreekt van een ABC-methode (aandacht, belangstelling, contact): 'Als jongeren in de fout gaan ben ik vooral geïnteresseerd in het waarom achter het gedrag en probeer weer in te steken en uit te dagen op behoeften en drijfveren. Straffen is soms nodig, maar het is de kunst de jongere niet af te wijzen, hem toch steeds erbij te blijven betrekken. Afkeuren van gedrag hoeft nog niet tot gevolg te hebben dat je de jongere zelf afwijst' (Hamels, 2007).

Rustmomenten creëren

Een belangrijk item voor de professional is ervoor te zorgen dat er rustmomenten voor de jongere zijn om na te denken, te reflecteren en de feedback te kunnen verwerken. Jongeren zijn geneigd om zich in uitersten te gedragen: of non-stop doorgaan en alleen maar steeds de actie opzoeken, of juist niet vooruit te branden en passief zijn. Talentcoaches hebben ook als taak jongeren te stimuleren om rustmomenten structureel in te plannen en concreet vorm te geven. De een doet dat door buiten te gaan lopen, een ander door te schrijven, muziek te luisteren of te chillen. Op die momenten kan interne en externe feedback geïntegreerd worden, kunnen ervaringen worden verwerkt en kan weer nieuwe energie worden opgedaan.

Overwinningen en successen vieren

Professionals geven unaniem aan dat successen gevierd moeten worden. Naast het geven van bijvoorbeeld diploma's en prijzen (materiële feedback), heeft het bereiken van een mijlpaal grote impact op jongeren en dat wordt bekrachtigd als er een moment wordt gekozen om hierbij stil te staan (immateriële feedback). De manieren waarop successen gevierd kunnen worden zijn legio: een feestelijke afsluiting met genodigden, samen eten, een dagje weg, een feest. Juist het delen van succes met anderen door een bepaald ritueel geeft jongeren een positieve impuls. Vooral risicojongeren die eraan gewend zijn veel negatieve aandacht te krijgen van hun omgeving spreken over een space-ervaring als zij het middelpunt zijn van een feest. Het geeft veel voldoening als anderen trots op hen zijn (externe feedback) maar het helpt hen ook om trots op zichzelf te zijn (interne feedback).

Hoofdstuk 6

Conclusie en aanbevelingen

In dit laatste hoofdstuk formuleer ik een antwoord op de centrale vraag die ten grondslag ligt aan dit boek:

Welke factoren binnen creatief-agogische projecten bevorderen succeservaringen bij risicojongeren en wat kunnen daarvan de effecten zijn op delinquent gedrag?

Na de beschrijving van werkzame factoren, volgen in paragraaf 6.1 een aantal aanbevelingen. Deze zijn in principe bedoeld voor alle sociaal-agogische professionals die met risicojongeren werken, maar soms zijn ze specifiek gericht op die groep van professionals die werkzaam zijn binnen de talentprojecten die we selecteerden tijdens het onderzoek: de talentcoaches.

In paragraaf 6.2 doe ik enkele aanbevelingen op het niveau van de organisaties die verantwoordelijk zijn voor jeugdbeleid en het ontwikkelen en uitvoeren van projecten.

Paragraaf 6.3 is gewijd aan nieuwe en verdiepende vragen die het onderzoek en het schrijven van dit boek hebben opgeleverd. Ik doe in deze paragraaf suggesties voor vervolgonderzoek.

6.1 Antwoord op de onderzoeksvraag

De algemene onderzoeksvraag kent twee subvragen. Bij het formuleren van de conclusie beantwoord ik eerst deze twee subvragen. Bij elke vraag zal ik een antwoord geven waarbij de kennis die werd opgedaan door literatuurstudie die in verband wordt gebracht met inzichten uit praktijkonderzoek.

De eerste subvraag van de centrale onderzoeksvraag luidde:

Welke factoren binnen creatief-agogische projecten bevorderen succeservaringen bij risicojongeren?

Inleidend wil ik nogmaals benadrukken dat we binnen dit project geïnteresseerd zijn in de *beleving* van succes door risicojongeren. Zoals in hoofdstuk
4 is beschreven gaat het om een psychologisch fenomeen, over een intrapsychisch proces, en niet om bijvoorbeeld maatschappelijk succes of andere vormen van objectief succes, zoals rijkdom en roem. In dit onderzoek ligt dus
de focus op de subjectieve kant van succes, de succeservaring. Bij het beantwoorden van de vraag welke factoren succeservaringen bij risicojongeren bevorderen, gaat het erom: hoe krijg je succes tussen de oren van deze jongeren?

Uit de gesprekken met de respondenten blijkt dat jongeren wat dat betreft
een grote omslag moeten maken in hun denken. Zij hebben over het algemeen een negatief zelfbeeld en ze hebben geen vertrouwen in eigen kunnen.
Op zich is dat niet vreemd, gezien het feit dat zij door slechte prestaties (bijvoorbeeld op school) en wangedrag veel negatieve aandacht krijgen, meer
gestraft worden dan beloond en de nadruk vaker ligt op hun deficiënties dan
op hun potenties. Een belangrijke slaagfactor, een heel basale, heeft te maken
met een visie op het werken met risicojongeren: namelijk focussen op de potenties en talenten van risicojongeren als uitgangspunt voor interventies. In
paragraaf 2.3 kwam aan de orde dat binnen de criminologie en in het justiti-
ele veld het werken vanuit risicofactoren erg dominant is. Binnen de sociale
wetenschappen is in toenemende mate aandacht voor het ontwikkelen van
interventies op basis van beschermende factoren. Creatief-agogische professionals zijn in principe altijd op basis van dit laatste uitgangspunt aan het
werk. Zij steken in op talenten van risicojongeren, als middel om jongeren
succes te kunnen laten ervaren. De creatief-agogische projecten die we onderzochten tijdens dit project werken allemaal volgens dit principe. Voor de
professionals die binnen deze projecten werkzaam zijn, is het van belang dat
zij een grondhouding ontwikkelen waarbij ze overtuigd zijn van de talenten
van risicojongeren en daar steeds op gericht blijven. Dit is een belangrijke
slaagfactor.

Een tweede factor die een rol speelt bij het mogelijk maken van succeservaringen heeft te maken met het zich bewust zijn van behoeften. In paragraaf
5.2 heb ik aan de hand van een aantal theorieën uitgelegd dat er sprake is
van manifeste en latente behoeften. Zo blijkt dat mensen een natuurlijke behoefte hebben om te presteren, de prestatiemotivatie. 'We worden ons vaak
pas bewust van behoeften als we rechtstreeks geconfronteerd worden met
mogelijkheden tot vervulling. Een goede ervaring met een activiteit kan ons
doen verlangen naar een herhaling ervan' (Van Rosmalen, 1999).

Ook achter deze theorie schuilt een belangrijke slaagfactor binnen creatief-agogische projecten. Risicojongeren zijn zich vaak niet bewust van de behoefte om te presteren (latente behoefte) en zijn ook niet geprikkeld om die te onderzoeken. Uit de gesprekken met jongeren bleek regelmatig dat zij inderdaad niet van zichzelf hadden gedacht talent te hebben en al helemaal niet dat ze in staat zouden zijn om grote prestaties te leveren. Deelname aan de projecten was voor een aantal jongeren een ware eye-opener en als ze eenmaal aan de mogelijkheid van succes geroken hadden, deed dat hen verlangen naar een vervolg.

Creatief-agogische professionals zijn erin getraind risicojongeren uit te dagen deel te nemen aan projecten, zodat ze bij hen die behoefte kunnen activeren. In paragraaf 5.2 werd gesproken over het uitlokken van creatieve processen door middel van diverse animatietechnieken. Een belangrijke slaagfactor binnen creatief-agogisch werken is dus het activeren van bewustwordingsprocessen van risicojongeren, zodat de behoefte om te presteren (en succes te ervaren) manifest wordt en risicojongeren gaan verlangen naar de herhaling van een succeservaring. De eerste bouwsteen van een creatief proces is de 'vonk' die kan ontstaan na een eerste positieve ervaring (Van Rosmalen, 1999).

Een derde slaagfactor leid ik af van theorieën uit de spelpsychologie die in paragraaf 5.2 werden aangehaald: 'Jongeren geven de voorkeur aan onmiddellijk bereikbare genoegens en resultaten' (Lens & Depreeuw, 1998). Een optimaal spanningsniveau (*arousal*) levert een gevoel van welzijn op (Van Rosmalen, 1999).

Creatief-agogisch werken kenmerkt zich onder andere door bewust en doelmatig in te spelen op de appèlwaarden van muzische en ludische activiteiten (paragraaf 5.2). Met andere woorden: elke creatieve activiteit prikkelt op een andere manier en nodigt op een bepaalde manier uit eraan deel te nemen. Elk mens reageert anders op die prikkels. In het professioneel handelen van een creatief agoog is er altijd sprake van een bewuste manier van het hanteren van die appèlwaarden.

Een belangrijke factor die succeservaringen kan bevorderen, is dus het zoeken naar activiteiten die aansluiten bij de behoefte van jongeren om snel resultaat te boeken en waarbij ze een optimaal spanningsniveau kunnen bereiken. Veel risicojongeren hebben een patroon ontwikkeld dat ze erg snel resultaat willen zien van hun inspanningen, anders haken ze af. Hier schuilt tevens een paradox. De beleving van succes is namelijk sterker als jongeren zich ergens enorm voor hebben moeten inspannen. Dit is precies de reden waarom er niet met een vaste standaard gewerkt kan worden. 'Maatwerk leveren' wordt vaak als slaagfactor genoemd door de professionals die we interviewden, omdat per persoon moet worden bekeken hoe een optimaal spanningsniveau kan worden bereikt.

De vierde factor is afgeleid van de theorie over flow en wordt bevestigd door de verhalen van risicojongeren en hun begeleiders. Het gaat hier over de ervaring die jongeren beleven als ze ergens helemaal in opgaan, wanneer zij optimaal geconcentreerd zijn op de activiteit, de focus op het hier en nu, omdat de activiteit een uiterste fysieke en geestelijke inspanning vereist.

Als belangrijkste slaagfactor binnen creatief-agogische projecten geldt dat voor elke risicojongere 'de lat hoog moet liggen', maar dat de uitdaging wel in balans moet zijn met de vaardigheden waarover zij beschikken. De kans op succes moet aanwezig zijn, maar er zal wel een intensieve inspanning geleverd moeten worden. Als in dit opzicht de balans zoek is, zullen jongeren zich frustreren (bij een te pittige uitdaging) of zich vervelen (bij te weinig uitdaging).

De vijfde factor heeft te maken met belonen en straffen via materiële en immateriële feedback en het hiermee parallel lopende proces van extrinsieke en intrinsieke motivatie. Uit de interviews met jongeren en professionals bleek dat het proces van motivatie heel vaak verliep van extrinsieke motivatie naar intrinsieke motivatie. Het bereiken, uitdagen en dus motiveren van risicojongeren blijkt beter te slagen als er een bepaalde beloning te verdienen is bij een goede prestatie en wanneer een succesvolle prestatie redelijk snel te bereiken is (zie ook paragraaf 5.5). Door een herhaling van succeservaringen blijkt de materiële feedback steeds minder belangrijk te worden. De risicojongeren raken gemotiveerd om de activiteit zelf. Zo komt een innerlijke drive, intrinsieke motivatie, tot stand.

Concluderend is het dus van belang steeds kritisch te kijken naar de aard en de effecten van materiële en immateriële feedback en deze steeds aan te passen gedurende het motivatieproces van de jongeren.

De beschreven werkzame factoren leiden tot de volgende vijf aanbevelingen voor sociale professionals die vanuit een talentgerichte benadering met risicojongeren willen werken:

1. Werken vanuit beschermende factoren vraagt een omslag in het bewustzijn van professionals, namelijk geloven in potenties en talenten van risicojongeren. Deze grondhouding is geen vanzelfsprekendheid, maar moet vaak nog ontwikkeld worden. De professional dient zich ervan bewust te zijn dat er ook bij de jongeren eerst een omslag in het denken nodig is. Een succeservaring helpt deze omslag te kunnen maken.
2. Besteed veel aandacht, tijd en energie aan de eerste fase om jongeren te motiveren door het op professionele wijze uitlokken van creatieve processen, zodat de eerste bouwsteen er ligt, de eerste succeservaring kan ontstaan (de vonk) en jongeren gaan verlangen naar herhaling van die ervaring.

3. Lever maatwerk en zorg voor korte spanningsbogen. Nooit kan één formule, één standaard, werken voor al die jongeren. Sommige jongeren hebben baat bij kleine uitdagingen omdat ze eerst gekalmeerd moeten worden, terwijl anderen juist door heftige prikkels gestimuleerd en geactiveerd moeten worden. In de opbouw van het programma-aanbod is het belangrijk te zorgen voor activiteiten die snel tot resultaat leiden.
4. Zoek steeds naar de balans tussen uitdaging en vaardigheden zodat risicojongeren flow kunnen ervaren.
5. Stem je materiële en immateriële feedback steeds af op het motivatieproces van de jongeren zodat er intrinsieke motivatie kan ontstaan.

Bovenstaande slaagfactoren en de daaruit voortvloeiende aanbevelingen klinken misschien heel aannemelijk en het lijkt dan simpelweg een kwestie van *doen*. Zo eenvoudig is het echter niet. Het proces van motiveren en activeren van risicojongeren is een uiterst ingewikkelde zaak. De doelgroep is over het algemeen namelijk heel moeilijk te motiveren.
Dit komt deels omdat zij vaak zelf vinden dat ze helemaal geen probleem hebben. Dus waarom zouden zij dan ingaan op het aanbod van creatief-agogische professionals? Jongeren ervaren de poging van sociale professionals om hen te activeren niet zelden als bemoeien. Hulpverleners die met deze jongeren werken, hebben een andere agenda dan de jongeren zelf. Dit is een niet te onderschatten tegenwerkende factor. Daarom is het al een hele kunst om een ingang bij hen te vinden om ze te prikkelen en, als je die ingang hebt, om hen dan te motiveren deel te nemen aan een project. Als dat al is gelukt, sta je voor de volgende opgave: de risicojongeren in het project houden. Het vraagt een specifieke deskundigheid (professioneel animeren) om die eerste succeservaring te bewerkstelligen, maar het vraagt daarnaast nog een andere deskundigheid namelijk jongeren te begeleiden in een fase van psychische wanorde (entropie) wanneer zij terugvallen in oud gedrag, teleurgesteld en gefrustreerd raken en daar diep ongelukkig door kunnen worden. Over de competenties en deskundigheid van talentcoaches doe ik aanbevelingen in paragraaf 6.2.

De tweede subvraag van de centrale onderzoeksvraag luidde:

Wat kunnen de effecten van succeservaringen zijn op het uitblijven van delinquent gedrag van risicojongeren?

Deze vraag is in het kader van het onderzoek belangrijk omdat we wilden onderzoeken in hoeverre succeservaringen van risicojongeren hebben bijgedragen aan het stoppen met delinquent gedrag. Zoals eerder opgemerkt, heeft het onderzoek zich beperkt tot het interviewen van risicojongeren die succesvol aan talentprojecten hebben deelgenomen. We zijn ons bewust van het eenzijdige karakter van de onderzoeksgroep. Bij alle jongeren die voor het onderzoek benaderd zijn, was er bij de start van het talentproject waar ze aan deelnamen sprake van licht crimineel, antisociaal of overlastgevend gedrag. Op het moment dat de interviews plaatsvonden, waren de respondenten allemaal bezig met een opleiding of een stage. Zij pleegden geen strafbare feiten meer en veroorzaakten geen overlast.

Jongeren geven aan dat het succesvol deelnemen aan de projecten het gevoel kan geven een ster (of meester) te zijn en tegelijkertijd veel invloed kan hebben op hun persoonlijke ontwikkeling. Ze zeggen daarbij dat ze dat achteraf pas hebben ingezien, toen ze wat ouder waren en terug konden kijken op die tijd.

De vraag of het ervaren van succes in de projecten ook invloed had op het stoppen met delinquent gedrag werd door alle respondenten positief beantwoord.

Jongeren vertellen dat de succeservaring hen veel energie en zelfvertrouwen gaf. Ze zien dit als een belangrijke reden van de grote verandering. Ook blijkt de positieve aandacht van de buitenwereld (ouders, familie, vrienden, docenten en andere belangrijke personen) voor het succes van de jongere vaak een reden om te stoppen met antisociaal gedrag.

Opvallend is dat zij allemaal na een enthousiaste startfase te maken kregen met een terugval (psychische entropie), met gevolg dat ze weer in oude gedragspatronen terugvielen. De jongeren die we spraken, konden zich toch opnieuw ertoe bewegen het project voort te zetten en raakten in tweede of derde instantie sterker gemotiveerd en ook meer intrinsiek gemotiveerd voor deelname dan in de periode voor de terugval. Het is opvallend dat de jongeren vanaf dat moment ook op andere leefgebieden veranderingen doormaakten. Sommigen pakten de draad van school weer op, anderen vonden werk, bij sommige jongeren werden familiebanden weer versterkt, anderen spraken over andere vrienden waarmee ze omgingen. Hun voormalige 'ongewenste' gedrag maakte plaats voor getolereerd gedrag, zonder criminaliteit of overlast. Een aantal respondenten zijn als medewerker of vrijwilliger betrokken geraakt bij de talentprojecten waar ze aan hebben deelgenomen. Ze zijn dan doorgegroeid van vakmanschap naar meesterschap, of soms van deelnemer naar organisator of assistent-begeleider.

Dit kunnen dus effecten zijn van succeservaringen op gedrag van risicojongeren. Bij deze jongeren hebben de succeservaringen binnen de talentprojecten als een beschermende factor gewerkt.

Ook jongerenwerkers vertellen dat de effecten van succes soms pas veel later beklijven. Het terugvallen in oud gedrag kan met leeftijd te maken hebben, maar ook maakt het erg uit in welke vriendengroepen jongeren terechtkomen.

Een jongerenwerker van *Voor Talent Wordt Geklapt!* in 's-Hertogenbosch: 'Soms kom je jaren later een jongere tegen die achteraf gezien veel positiever praat over het talentproject dan op het moment dat hij het traject verliet.'

In hoofdstuk 2 en 4 heb ik toegelicht dat het stoppen met delinquent gedrag (*desistance*) wordt bepaald door vele interne en externe slaag- en faalfactoren. In het kader van dit onderzoek beperk ik me tot de invloed van succeservaringen binnen creatief-agogische talentprojecten als mogelijke slaagfactor. Vastgesteld moet echter worden dat de uiteindelijke positieve effecten van succes op delinquent gedrag mede worden bepaald door de mate waarin andere interne en externe slaagfactoren het winnen van interne en externe faalfactoren. Samenvattend kunnen een aantal conclusies getrokken worden:

1. Door succeservaringen wordt het zelfvertrouwen, het zelfbeeld en het gevoel van eigenwaarde van jongeren versterkt en kunnen zij op den duur gevoelens van faalangst en onzekerheid overmeesteren. Ook wordt door succeservaringen de intrinsieke motivatie versterkt. Zowel uit de literatuur over desistance (Nuytiens e.a., 2007) als uit gesprekken met ex-risicojongeren blijkt dat dit belangrijke interne slaagfactoren zijn in het proces van stoppen met delinquent gedrag.

2. Door knappe prestaties te leveren in een stimulerende omgeving kunnen de jongeren zich wapenen tegen negatieve invloeden van andere leefomgevingen (buurt, gezin, vrienden, school). Het opbouwen van een nieuw sociaal netwerk is een cruciale externe slaagfactor om het zogenoemde succespad voort te zetten.

3. De kans op positieve gedragsverandering is dus het grootst als de interne en externe slaagfactoren optimaal zijn en als de interne en externe faalfactoren geminimaliseerd kunnen worden. Talentcoaches die met risicojongeren werken kunnen niet op al deze factoren invloed uitoefenen. Wel kunnen creatief-agogische interventies effect hebben op zowel interne als externe factoren die het succes beïnvloeden. In hoofdstuk 5 werden de vier niveaus beschreven waarop sociaal-agogische professionals interveniëren wanneer zij werken aan talentontwikkeling bij risicojongeren. Het gaat om professioneel handelen op de volgende vier niveaus: motivatie, discipline, vaardigheden en feedback. Dit zijn de vier pijlers van het analysemodel dat in hoofdstuk 5 werd gepresenteerd.

4. Gesteld kan worden dat wanneer een talentcoach doelbewust op deze vier niveaus intervenieert, de kans op succeservaringen van risicojongeren het grootst is, en daarmee ook de kans dat de interventie positief doorwerkt op hun gedrag. Uit gesprekken met professionals met wie het analysemodel is uitgetest, blijkt dat de vier pijlers helpen om de interventies te ordenen, maar dat ze in de beroepspraktijk door elkaar heen lopen. Het proces verloopt niet altijd systematisch en in dezelfde volgorde, maar is juist heel dynamisch en wispelturig. Bij de een verloopt het succesproces

via disciplineren en het aanleren van vaardigheden en bij de ander begint de motivatie bij applaus van het publiek. Voor de ene jongere zit de leerervaring in de flow (de beleving van succes), voor een andere jongere in het overwinnen van de entropie (de terugval na succes). Het is dan ook raadzaam om voor elke jongere op basis van de uitkomsten van de analyse een individueel plan van aanpak te maken. Daarbij is het steeds weer een kunst om jongeren zo uit te dagen dat ze regelmatig flow kunnen ervaren (paragraaf 4.3).

5. Het beïnvloeden van gedrag, in dit geval delinquent gedrag, lukt nooit op basis van succeservaringen alleen. Sterker nog, er gebeurt pas echt iets als een jongere na een succeservaring de onvermijdelijke terugval krijgt (de entropie) en daar doorheen weet te komen. Een talentcoach is erin getraind om juist van deze psychische entropie een leerervaring te maken.

6. Er zijn veel factoren van invloed op het proces van gedragsverandering. Talentcoaches hebben lang niet altijd greep op alle factoren. Dit gedragsveranderingsproces is in de praktijk een zeer complex gebeuren waar veel inspanning en discipline voor nodig is. Het vraagt van risicojongeren, zoals gezegd, een omslag in hun denken en handelen en het vraagt vervolgens om het loslaten van gedragspatronen waar ze erg vertrouwd mee zijn. Het vraagt soms ook afscheid nemen van mensen in de vertrouwde leefomgeving van risicojongeren (verkeerde vrienden) terwijl het nieuwe netwerk nog niet veilig aanvoelt. Het is een uiterst ingewikkelde materie waar een deskundige begeleiding van cruciaal belang is. Het vraagt bovendien ook van professionals een enorme inspanning en doorzettingsvermogen.

Tot besluit van deze paragraaf noteer ik nog enkele aandachtspunten. Deze opmerkingen hebben betrekking op de dilemma's waarmee talentcoaches moeten dealen.

De eerste opmerking heeft te maken met het doelgericht handelen: een talentcoach weet dat het kortetermijndoel van een risicojongere heel praktisch is en dat hij nog niet in staat is met langetermijndoelstellingen bezig te zijn. De doelen van de risicojongere zijn vaak activiteit-specifiek: het talentproject is voor de deelnemer *doel* op zich. Een jongere wil bijvoorbeeld goed worden in een vorm van streetdance en droomt ervan op te treden voor een groot publiek. Hoe sneller dit doel bereikt kan worden, des te beter. Voor de talentcoach is het project een *middel* om op langere termijn agogische doelen te bereiken, zoals het terugdringen van spijbelgedrag, het bevorderen van het zelfregulerend vermogen, het stimuleren van participatie, het voorkomen of terugdringen van overlast. Deze doelen kunnen zelden op korte termijn worden bereikt. Het vraagt een lange adem. Dit is dus precies waar de jongere en de professional bij aanvang totaal verschillende agenda's hebben. Dit kan het slagen van de interventie in de weg staan, maar dat hoeft niet. Ten aanzien van motiverende interventies is het erg belangrijk dat voor risicojongeren de doelen en de bejegening aansluiten bij hun intrinsieke motivatie. De lange-termijndoelen van een talentcoach kunnen alleen effectief werken als ze in de juiste proporties en op de juiste momenten met risicojongeren worden besproken. Hiervoor moet er eerst een bepaalde relatie worden opgebouwd en zal de jongere de zin moeten inzien van het coachingstraject. De herhaling van succeservaringen helpt bij het bouwen aan deze relatie. Het steeds weer overwinnen van entropieën draagt ook in positieve zin bij aan de vertrouwensrelatie.

Een tweede dilemma waar we ook regelmatig met professionals over spraken heeft te maken met succeservaringen die zowel op gewenst als op ongewenst gebied kunnen doorwerken. Talentcoaching is erop gericht succeservaringen bij risicojongeren te bevorderen zodat zij flow kunnen ervaren. Maar wie bepaalt de norm van gewenst gedrag? Dat zijn wederom niet de jongeren, maar anderen die dat voor hen bepalen. Risicojongeren hebben bij 'succeservaringen' een heel ander referentiekader. Het geeft binnen de eigen peergroup namelijk aanzien om succesvol te zijn in activiteiten waarvoor je strafrechtelijk vervolgd kunt worden. Het levert status op als je vast hebt gezeten.
Hoe kun je als talentcoach die succeservaringen ombuigen naar gewenst gebied? Hoe breng je die transfer tot stand? Hier heeft het onderzoek tot nu toe nog te weinig antwoord op gegeven, maar het is wel een wezenlijke vraag. Edzes (2006) deed in Nederland onderzoek naar flow in het bedrijfsleven. Zij is ervan overtuigd dat als je mensen kunt leren hoe ze in flow kunnen raken, je de sleutel tot gedragsverandering in handen hebt. 'In de misdaad succesvolle delinquenten weten waarschijnlijk wat het is om in flow te zijn. Dit kun je als referentie gebruiken', aldus Edzes. Ook zij benadrukt het belang van muzische en ludische activiteiten als mogelijkheid om flow te laten ervaren, met name binnen de sport. Ook in het leger bijvoorbeeld worden sportactiviteiten ingezet vanwege de disciplinerende kwaliteiten van het medium en het is opvallend hoeveel kansarme jongeren via militaire dienst toch succesvol (gelukkig) worden.

De laatste opmerking in deze paragraaf heeft te maken met een aantal vragen die de complexiteit van de doelgroep met zich meebrengen. Wat doe je met jongeren die geen talent hebben? Hoe deal je met jongeren die onhandelbaar zijn? Is talentcoaching voor alle risicojongeren geschikt?
Voor zover nu bekend is talentcoaching geen antwoord voor alle risicojonge-ren. Jongeren die echt onhandelbaar zijn en niet te bereiken zijn voor welke activiteit dan ook, kun je ook met talentcoaching niet motiveren. De jongeren moeten namelijk wel op een bepaald moment gevoelig worden voor prikkels waarmee ze worden uitgedaagd. Dat kan best even duren, maar zal

uiteindelijk minstens moeten leiden tot die eerste stap. Dat is een voorwaarde om die eerste succeservaring te kunnen realiseren.

Ik ben ervan overtuigd dat elke jongere op een bepaald gebied talentvol is. Als je als talentcoach vanuit deze overtuiging werkt, dan vind je die potentie. Bij risicojongeren ligt talent vaak niet aan de oppervlakte en is soms moeilijk aan te spreken, vooral als de jongere zelf blijft volhouden dat hij niks kan. Als je als talentcoach geen ingang vindt bij sommige jongeren, is het raadzaam om goede rolmodellen in te zetten, waarmee ze zich graag identificeren. Dit kunnen leeftijdsgenoten zijn, maar ook bijvoorbeeld beroemde topsporters, artiesten of andere idolen.

6.2 Aanbevelingen voor beleidsmakers

De aanbevelingen in paragraaf 6.1 zijn vooral gericht op uitvoerende professionals die met risicojongeren werken. In deze paragraaf wil ik drie aanbevelingen doen aan managers van organisaties die verantwoordelijk zijn voor jeugdbeleid en aan hen die talentprojecten ontwikkelen.

1. Talentontwikkeling als speerpunt van jeugdbeleid

Deze aanbeveling richt ik tot beleidsmakers die bij jeugdbeleid 'talentontwikkeling' hoog op de agenda hebben staan en zelfs tot speerpunt hebben gemaakt. In rapporten en notities over 'brede talentontwikkeling' wordt optimistisch uitgegaan van groeikansen voor alle jeugdigen wanneer zij de gelegenheid krijgen verschillende soorten talent te ontwikkelen. Van talentontwikkeling wordt veel verwacht, er worden uiteenlopende functies en doelen aan toegedicht. Niet alleen versterking van persoonlijke en sociale eigenschappen worden eraan toegeschreven, maar er worden ook maatschappelijke effecten van verwacht zoals het versterken van sociale cohesie, het overwinnen van sociaaleconomische (klasse)verschillen en sociaal-culturele (etnische) kloven (Spierts & De Boer, 2008).

Bij het ontwikkelen van beleid op het gebied van brede talentontwikkeling rijst steeds de vraag of het aanbod voor alle jeugdigen moet gelden, inclusief risicojongeren, of dat er voor risicojongeren aparte trajecten ontwikkeld moeten worden. Ontwikkelaars en aanbieders van talentprojecten moeten zich goed bezinnen op de vraag of talentontwikkeling een doel of een middel is. Als antwoord op deze vraag wil ik vanuit mijn onderzoek een aantal aanbevelingen doen.

Talentprojecten die als doel *brede talentontwikkeling* hebben, moeten in mijn opvatting voor alle jeugdigen toegankelijk zijn. Je kunt niet selecteren aan de poort op grond van risicovol gedrag. Het zal echter wel zo zijn dat risicojongeren op een andere manier gemotiveerd moeten worden en een ander soort begeleiding nodig hebben om hun talent eerst te ontdekken en vervolgens te ontwikkelen. Het is belangrijk dat ontwikkelaars van talentprojecten hiermee rekening houden, zoals er ook binnen het onderwijs aandacht is voor bepaalde zorgleerlingen.

Het blijkt dat talentprojecten wel degelijk ook kunnen bijdragen aan gedragsverandering van risicojongeren, mits er voldoende maatwerk geleverd wordt door deskundige sociale professionals. Wanneer talentprojecten een *middel* zijn om criminaliteit te voorkomen of recidive terug te dringen, is de doelgerichtheid echt anders en overstijgt het brede talentontwikkeling. Om die reden geven we het in dit boek een andere naam: talentcoaching.

Het concept *talentcoaching* zoals in dit boek beschreven, biedt voldoende handreikingen voor verdere methodiekontwikkeling in het werken met risicojongeren. Talentcoaching is binnen deze context een vorm van begeleiding waarbij via individueel maatwerk talent van de risicojongere wordt opgespoord, aangesproken en ontwikkeld zodat de individuele handelingsmogelijkheden van de deelnemer (humaan kapitaal) en zijn sociale mobiliteit (sociaal kapitaal) worden versterkt (Putnam, 2000). Het doel is dat de jongere intrinsiek gemotiveerd raakt om te stoppen met delinquent gedrag.

2. Welke professionals richten zich op talentontwikkeling?

Het onderwijs is al een paar eeuwen de aangewezen institutie voor talentontwikkeling, maar de op cognitie gebaseerde standaard binnen het onderwijs heeft een eenzijdige benadering van talent tot gevolg (Terwijn, 2006). Het effect daarvan is dat grote groepen jongeren in hun eigen beleving alleen 'iets laags' kunnen worden omdat hun leerprestaties op cognitief vlak achter blijven. Van de Nederlandse jongeren zit 60 procent op het vmbo. Blijkbaar zijn er ook andere instituties en andere specifieke professionele interventies nodig om de talenten die jongeren bezitten aan te spreken en tot hun recht te laten komen (Spierts & De Boer, 2008).

Ik meen dat het jongerenwerk uit zou kunnen groeien tot zo'n institutie voor talentontwikkeling. Binnen het jongerenwerk kan zowel brede talentontwikkeling als talentcoaching van risicojongeren de professionele aandacht krijgen die het verdient. Daarbij is het van groot belang dat de jongerenwerker een intermediair is tussen onderwijs en jeugdzorg. Jongerenwerkers zijn daar bij uitstek geschikt voor: zij zijn vanuit de kern van hun beroep bruggenbouwers. Je zou hen kunnen beschouwen als talentmakelaars.

Ik zou organisaties die jongerenwerk aanbieden willen aanmoedigen om zich sterk te profileren en te positioneren in de arena van talentontwikkeling, door talentcoaching als een aparte methodiek te benoemen, deze verder te ontwikkelen en in goede samenwerking met instellingen voor onderwijs- en jeugdzorg te implementeren.

3. Talentcoaching bij risicojongeren: een specifieke deskundigheid

Wanneer talentgericht werken bij risicojongeren gedragsverandering tot doel heeft, vraagt dat specifieke deskundigheid van sociaal-agogische professionals. Een professional die we in dit boek voorzichtig de *talentcoach* hebben genoemd zal deskundig moeten zijn in het begeleiden van dit creatief-agogisch proces. Zijn de jongerenwerkers, sportbuurtwerkers, straathoekwerkers en andere professionals die nu volop werkzaam zijn in de talentprojecten voldoende daarvoor toegerust? Weten zij voldoende hoe ze motivatieprocessen van risicojongeren kunnen beïnvloeden? Zijn zij voldoende in staat de slaagfactoren van succeservaringen te optimaliseren en de faalfactoren te minimaliseren? Zijn zij voldoende geschoold in creatief-agogische methodieken? En heel cruciaal is de vraag: zijn zij voldoende deskundig in de begeleiding van de psychosociale hulpvragen van risicojongeren, met name in de fase van terugval (entropie)? Of moeten ze in die fase een beroep doen op andere sociale professionals?

Als docent in creatief-agogische methoden wil ik opmerken dat binnen de huidige structuur van het hbo-onderwijs, via een Minor 'Talentcoaching van Risicojongeren', gewerkt zou kunnen worden aan het opleiden van talentcoaches. Studenten SPH, MWD en CMV kunnen samen als collega's optrekken in deze Minor en veel van elkaars expertise leren.

Mijn advies aan organisaties die bijzondere talentprojecten voor risicojongeren ontwikkelen, is om kritisch naar de deskundigheidsbevordering van het personeel te kijken en daar waar nodig bijscholingstrajecten te organiseren op het gebied van talentcoaching.

Daarnaast is het van groot belang dat er ook financiële middelen gereserveerd worden voor het aanstellen en contracteren van experts op het gebied van sport en kunsten. Naast de agogische professionals zijn vakdocenten belangrijk bij de ontwikkeling van vakmanschap en meesterschap bij de jongeren. Op die manier kan talentcoaching succeservaringen van risicojongeren bevorderen, die positief effect kunnen hebben op delinquent gedrag.

6.3 Perspectieven met betrekking tot vervolgonderzoek

In de afgelopen periode is gebleken dat studie naar de invloed van succeservaringen in het proces van stoppen met delinquent gedrag van risicojongeren een nieuwe blik werpt op het werken met deze doelgroep. Terwijl politici en burgers voortdurend pleiten voor een hardere aanpak van moeilijke jongeren door strengere straffen, meer toezicht en meer dwang en drang, is er juist vanuit de sociaal-agogische beroepspraktijk en onderzoekspraktijk een sterke voorkeur voor meer begeleiding en behandeling van probleemjongeren. Uit wetenschappelijk onderzoek blijkt immers dat harder straffen niet effectief is. Toch blijven we in Nederland nog steeds het meest investeren in restrictieve en repressieve maatregelen.

Interventies om jeugdcriminaliteit te beheersen of te voorkomen zijn veelal ontwikkeld op basis van risicofactoren die een criminele carrière doen voorspellen. Het werken vanuit beschermende factoren heeft binnen de criminologie nog maar weinig belangstelling, hoewel er binnen de sociale wetenschappen wel groeiende aandacht is.

Voor jongerenwerkers die in hun dagelijks werk met risicojongeren geconfronteerd worden, is het vanuit hun professionele logica vanzelfsprekend om uit te gaan van de talenten van de doelgroep. Zij zijn bij uitstek de beroepsgroep die weet hoe je deze jongeren kunt bereiken en activeren en het is duidelijk dat naarmate dat beter lukt, deze jongeren effectiever te motiveren zijn voor bijvoorbeeld scholing of arbeid. Dit kan vervolgens weer een positieve invloed hebben op het uitblijven van overlastgevend en antisociaal gedrag. Toch weten we nauwelijks op welke manier de interventies van jongerenwerkers effect hebben en is niet wetenschappelijk onderzocht wat de werkzame bestanddelen van de bestaande methodieken zijn (Rovers & Kooijmans, 2008).

Met het project *Battle zonder knokken* sluit ik aan bij een behoefte om meer professionaliteit te ontwikkelen ten aanzien van het talentgericht werken met risicojongeren en de vraag om de effectiviteit van het professionele handelen ook op basis van wetenschappelijk onderzoek te kunnen onderbouwen. Bij veel uitvoerende professionals, managers van welzijnsorganisaties en opleidingen is de belangstelling voor vervolgonderzoek naar talentcoaching aangewakkerd.

Dit komt onder andere door de grote belangstelling voor brede talentontwikkeling als nieuwe focus voor makers van jeugdbeleid in Nederland. Talentontwikkeling zou niet alleen de persoonlijke en sociale eigenschappen bevorderen, maar ook positief werken op maatschappelijke betrokkenheid. De verwachtingen zijn hooggespannen (Spierts & De Boer, 2008). Het is spannend of de manier waarop talentontwikkeling nu wordt uitgewerkt het gewenste effect zal hebben. Daarbij is het de vraag of je effectief beleid kunt ontwikkelen en of je met brede talentontwikkeling alle jeugdigen effectief kunt motiveren, inclusief de 15 procent probleemjongeren. Mijn overtuiging is dat er bijzondere trajecten nodig zijn voor risicojongeren, met een specifieke aanpak die zich kenmerkt door individueel maatwerk zoals binnen talentcoaching geboden kan worden.

Mijn onderzoek is begonnen met een studie naar het fenomeen flow. Csikszentmihalyi beschrijft flow als een toestand waarin mensen verkeren als ze een prestatie leveren die net boven hun kunnen ligt, daarbij uiterst geconcentreerd zijn en sterk betrokken op de activiteit in het hier en nu. Csikszentmihalyi meent dat naarmate mensen vaker flow ervaren in het dagelijkse leven, zij meer worden uitgedaagd tot persoonlijke en culturele groei. Mensen kunnen door optimale ervaringen in een *flow-kanaal* komen, een positieve stroom waarbinnen mensen succes ervaren en zich welbevinden. Binnen het project heb ik uiteindelijk een eigen definitie van succeservaringen geformuleerd en daarbij aangegeven dat het in ons project om de subjectieve beleving van succes gaat.

Het concept flow is voor mij nog steeds interessant en relevant bij de verdere zoektocht naar effecten van talentcoaching. In bepaalde wetenschappen, bijvoorbeeld binnen de bewegingswetenschappen en bestuurs- en organisatiewetenschappen, is veel aandacht voor talentontwikkeling en talentmanagement. Niet zelden wordt gerefereerd aan het fenomeen flow en verwijst men naar de studies van Csikszentmihalyi.

Bij de sociale wetenschappen komt het concept flow vooral terug binnen de positieve psychologie, een vrij jonge stroming in de psychologie (ook wel aangeduid als Science of Happiness). De gelukswetenschap is een vakgebied dat zich bezighoudt met het meetbaar maken van geluk en het beter begrijpen van geluk. Seligman (in de Verenigde Staten) en Veenhoven (in Nederland) hebben hierover het meest gepubliceerd.

Binnen de criminologie ben ik geen directe verwijzingen naar flow tegengekomen. Ik heb de indruk dat er nog weinig onderzoek is gedaan naar de relatie tussen flow-ervaringen en gedragsverandering van jeugdige delinquenten. In de desistance-literatuur is het werk van Shadd Maruna (2001) voor mij interessant omdat hij onderzoek doet naar cognitieve transformatieprocessen en identiteitstransformatie in het proces van stoppen met criminaliteit. Voor mijn vervolgonderzoek zie ik mogelijkheden aan te sluiten bij dit theoretisch kader. Door het onderzoeksproject is mijn idee versterkt dat flow-ervaringen van invloed kunnen zijn op de persoonlijke groei van risicojongeren en dat daarmee ook sociale en maatschappelijke effecten te realiseren zijn. Er is echter meer onderzoek nodig om te begrijpen hoe flow bij deze complexe doelgroep tot stand kan komen. Ik verwacht daarbij veel van het type interventies die ik in het project onder de noemer talentcoaching samenbracht.

Met mijn onderzoeksactiviteiten hoop ik bij te dragen aan de verdere professionalisering van jongerenwerkers en wil ik hen ondersteunen bij het spelen van een prominente rol in de arena van het jeugdbeleid, waar participatiebevordering en criminaliteitsbestrijding nog vaak twee polen zijn. Onderzoek moet uitwijzen of talentcoaching daarbij verbindend en effectief kan zijn.

Overzicht van dertien talentprojecten in Nederland

1. All Stars

Organisatie	Stedelijk Jongerenwerk Amsterdam Nieuwezijds Voorburgwal 323-325 1012 RM Amsterdam www.sjadam.nl www.allstarsnederland.nl
Omschrijving project	All Stars is ontwikkeld in Amerika en door het stedelijk Jongerenwerk Amsterdam overgenomen en aangepast aan de Nederlandse situatie. Jongeren in achterstandswijken worden gestimuleerd om via performance hun talenten te demonstreren en verder te ontwikkelen. Dit gebeurt aan de hand van een cyclus van audities, workshops en shows. In Nederland kunnen jongeren binnen Allstars in vier fasen deelnemen: • Als bezoeker • Als artiest (audities, workshops, shows) • Als medeproducent (jongeren die medeverantwoordelijk worden voor de uitvoering van de All Stars cyclus) • Als professional (jongeren die als betaalde medewerker ingezet worden binnen de cyclus) De talentenshows kennen alleen maar winnaars, dus er zijn geen prijzen. Elke presentatie wordt afgesloten met de uitroep: 'Congratulations, You're a winner!'
Doelgroep	Jongeren tussen 15 en 25 jaar, waaronder ook risicojongeren
Doel van het project	• Artistieke talenten van jongeren ontdekken en ontwikkelen • Sluimerende vermogens van jongeren aanspreken • Versterken van cultureel en sociaal kapitaal • Versterken van artistieke en sociale competenties • Bevorderen van maatschappelijke participatie
Talentcoaching?	Ja
Creatief-agogisch middel	Podiumkunsten, zang, rap, dans, muziek, acteren
Bevindingen	Per jaar worden er 4 tot 6 cycli gedraaid. Per cyclus nemen 530 jongeren deel. 35 jongeren als artiesten, 20 als producers en 475 als bezoekers.

2. Attention on Tour

Organisatie	Attention on Tour Postbus 36096 1020 MB Amsterdam Tel. (06) 5394 1285 info@attentionontour.nl www.projectenburo.nl
Omschrijving project	In het jargon is Attention een Hiphop-project voor dak- en thuisloze jongeren. Het project draait in vier steden: Amsterdam, Rotterdam, Utrecht en Arnhem. Doel is jongeren van de straat te activeren en hen de kans te geven uit hun geïsoleerde positie te treden, hun talenten te ontdekken en ontwikkelen en hun sociale netwerk te vergroten. Ook wil het project zorgen voor een reële beeldvorming, want jongeren-van-de-straat lijkt synoniem met overlast en problemen, terwijl dat lang niet altijd zo is. Jongeren kunnen aan het project deelnemen en doorgroeien naar medewerker van de organisatie Attention on Tour.
Doelgroep	Dak- en thuisloze risicojongeren die op straat leven
Doel van het project	Attention on Tour biedt dak- en thuisloze jongeren die het niet vanzelf maken op de arbeidsmarkt, hun talent te ontdekken en te ontwikkelen en de kans om leer- werkervaring op te doen.
Talentcoaching?	Ja
Creatief-agogisch middel	Muziek en theater
Bevindingen	In 2007 heeft Attention on Tour de Altijd Onderweg Prijs van de Stichting Zwerfjongeren Nederland gewonnen.

3. Brotherhood

Organisatie	Stedelijk Jongerenwerk Amsterdam Nieuwezijds Voorburgwal 323-325 1012 RM Amsterdam www.sjadam.nl www.brotherhood.nl
Omschrijving project	Brotherhood biedt jongeren een carrière binnen de drumband (brassband). Jongeren kunnen telkens een stap hoger in de organisatie maken door het volbrengen van taken en tonen van gewenst gedrag. Van deelnemen aan workshops kan doorgegroeid worden naar grote show-optredens in binnen- en buitenland. Jongeren houden een zakcentje over aan optredens. Wekelijks vinden individuele gesprekken plaats met de deelnemers. Begeleiders dienen als rolmodellen.
Doelgroep	Jongeren tussen 8 en 25 jaar, inclusief risicojongeren. Jongeren die een vrijetijdsinvulling zoeken, worstelen met het vinden van een plaats in de maatschappij, die op zoek zijn naar een uitdaging en daardoor buiten de normen en waarden dreigen te treden die binnen de samenleving gelden.
Doel van het project	• Integratieproces van vooral allochtone jongeren bevorderen • Eigenwaarde van jongeren versterken en hen ondersteunen bij problemen in de directe leefomgeving • Artistieke en sociale competenties versterken • Versterken van cultureel en sociaal kapitaal; empoweren van jongeren
Talentcoaching?	Ja
Creatief-agogisch middel	Muziek, drumactiviteiten
Bevindingen	Vandaag de dag is er nauwelijks een drumband te bedenken die op de een of andere manier geen Brotherhood achtergrond of invloed heeft. De ontwikkeling van de vele brassbands onderscheidt zich door de combinatie van muzikale ontwikkeling en sociaal-maatschappelijke ontwikkeling.

4. CATch! Cultuur Educatie Trajecten

Organisatie	CATch: Initiatief van Dienst Maatschappelijke Ontwikkeling Amsterdam Het project wordt uitgevoerd in samenwerking met onder andere Click F1 (projectleiding) en Stedelijk Jongerenwerk Amsterdam www.catchhh.nl www.clickf1.nl www.dmo.amsterdam.nl
Omschrijving project	CATch biedt risicojongeren de mogelijkheid tot actief leren door middel van cultureel-educatieve programma's op het gebied van (street)dans, muziek, theater en nieuwe media. Een van de uitgangspunten is dat jongeren parallel aan het kunstprogramma individueel begeleid worden. De intensiteit hangt af van het risiconiveau van de deelnemer.
Doelgroep	Risicojongeren tussen 12 tot 23 jaar met zwaar, medium en licht risiconiveau. Ook nemen er bewust een aantal jongeren deel die niet tot de doelgroep behoren zodat risicojongeren zich daaraan op kunnen trekken.
Doel van het project	• Tegengaan van vroegtijdig schoolverlaten • Aanbieden van kunstzinnige activiteiten waar risicojongeren anders niet gauw toegang toe hebben zodat zij interesse en talent kunnen verkennen • Ontwikkelen van artistieke vaardigheden en competenties waardoor risicojongeren beter worden toegerust voor deelname aan scholing of werk
Talentcoaching?	Ja
Creatief-agogisch middel	Dans, muziek, theater, nieuwe media en tekstschrijven
Bevindingen	Er doen 250 jongeren mee per jaar in 28 groepstrajecten.

5. Crossroads

Organisatie	Gemeente Tilburg www.tilburg.nl
Omschrijving project	Een op maat gesneden programma, dagelijks van 8.00 tot 22.00 uur. Jongeren krijgen een opleiding, training sociale vaardigheden, maar ook begeleiding in hun vrije tijd, waarbij er gekeken wordt naar hun affiniteiten en kwaliteiten.
Doelgroep	Risicojongeren tussen 12 en 18 jaar die meerdere keren met het Openbaar Ministerie in aanraking zijn geweest vanwege straf- of civielrechtelijke problemen en bekend zijn bij het Veiligheidshuis Tilburg.
Doel van het project	Het bieden van toekomstperspectief door scholing, training en arbeidstoeleiding en het tegengaan van recidive.
Talentcoaching?	Ja
Creatief-agogisch middel	Divers, op maat
Bevindingen	Tussen 2006 en 2008 werden er 13 jongeren per jaar begeleid. Crossroads Tilburg is een van de negen landelijke pilots in de aanpak van 'niet participerende jongeren'. Dit als opmaat naar landelijk dekkende invoering vanaf 2011. Stand van zaken: • Per 1 juni 2008 zitten er 13 jongeren in het traject, 3 jongeren worden gescreend • Van deze 13 zitten er 9 vanuit straf en 4 vanuit civiel rechterlijk kader • Er zijn 4 jongeren uitgestroomd die het traject met succes hebben afgerond • In totaal zijn 2 jongeren tijdens het traject uitgestroomd naar een gesloten justitiële jeugdinrichting

6. Doelbewust

Organisatie	Divers welzijnsonderneming Stedelijk Bureau Divers Rogier van der Weydenstraat 2 5213 CA 's-Hertogenbosch Tel. (073) 6124 488 www.divers.nl
Omschrijving project	Voetbalproject, één team één resultaat! In het project Doelbewust dat het jongerenwerk van Divers samen met Servicepunt Sport en Bewegen in de Bossche wijken Hambaken/Orthen-Links, Boschveld, Slagen, Gestelse Buurt, Muntel en Kruiskamp uitvoert, is voetbal een middel om positief gedrag bij jongeren te bewerkstelligen. Voorbeelden uit het dagelijkse leven zijn vaak terug te koppelen aan situaties in het voetbal (voorbeeldfunctie, contracten, afspraken nakomen, negatief gedrag). Door middel van voetbal worden deze situaties behandeld. Kernbegrippen zijn samenwerking, loyaliteit, teamspirit, doorzettingsvermogen en normen en waarden. Jongeren in de leeftijd tussen 11 en 18 jaar kunnen onder een heus 'contract' komen trainen en spelen bij een van de teams die verspreid zijn over zeven locaties in 's-Hertogenbosch. De deelnemers moeten zich gaan gedragen als prof met een voorbeeldfunctie naar de wijk en school. Als het contract is ondertekend, krijgt de deelnemer een tenue in bruikleen zodat hij zichtbaar in de wijk aanwezig is. Hij dient zich ook buiten de contactmomenten te gedragen volgens zijn contract.
Doelgroep	Jongeren van 11 tot en met 18 jaar, inclusief risicojongeren
Doel van het project	Bestrijding van overlast in de wijk: gedragsverbetering
Talentcoaching?	Ja
Creatief-agogisch middel	Sport, voetbal

Bevindingen	Het project Doelbewust is door Divers in 2006 gestart in de wijk Boschveld. Een groep jongens rond de 12 jaar veroorzaakte daar destijds veel overlast op straat. Het lukte de jongerenwerkers hen bij elkaar te krijgen in een voetbalteam: de Boschveld Boys. Voor de 'boys' ging het om voetbal, maar de 'coach' van Divers werkte vooral aan gedragsverbetering. Kernbegrippen zijn samenwerking, loyaliteit, teamspirit, doorzettingsvermogen en normen en waarden. Op straat en op school gingen de jongens zich beter gedragen. Ouders kwamen de jongerenwerkers na een paar maanden bedanken voor wat ze met hun zonen hadden bereikt! Divers heeft de aanpak van dit voetbalproject doorgetrokken naar andere wijken in de stad waar het, zonder uitzondering, goed aanslaat bij de tieners. In dit welzijnsproject is sport een middel om positief gedrag bij jongeren te bewerkstelligen. Daarom werken in dit project Divers het Servicepunt Sport en Bewegen nauw samen. In 2007 werd het jongerenwerkteam van Divers met het project Doelbewust als een na beste van Nederland gekozen vanwege de vernieuwende aanpak en betrokkenheid bij risicojeugd (Brabants Dagblad, 13-11-2007).

7. FAME-ISH

Organisatie	Stichting ISH Willinklaan 3-5 1067 SL Amsterdam Tel. (020) 4685 422 info@ish-events.com www.ish-events.com
Omschrijving project	ISH is een organisatie die straatcultuur naar het theater brengt en de jongeren van de straat naar het theater. ISH groeide uit tot een opleidingsinstituut dat dient als springplank voor vers, jong talent op het gebied van de ISH-disciplines theater, muziek, dans en skate. Er is een structurele samenwerking ontstaan tussen mbo- en vmbo-opleidingen. Leerlingen van roc's kunnen een deel van hun opleiding bij ISH volgen. Het opleidingsaanbod wordt inmiddels uitgebreid omdat blijkt dat er behoefte is aan talentontwikkeling op breder vlak. Ook voetbal en freestyle basketball staan inmiddels op het repertoire. FAME-ISH is het resultaat.
Doelgroep	Leerlingen van vmbo en mbo, inclusief risicojongeren
Doel van het project	Jongeren de kans geven artistieke en sportieve talenten te ontwikkelen; de doorstroom naar vervolgonderwijs en de beroepspraktijk bevorderen.
Talentcoaching?	Nee
Creatief-agogisch middel	Theater, muziek, dans en sport
Bevindingen	FAME-ISH is een pilotproject (tot 2010) in samenwerking met het ROC Amsterdam, afdeling Artiest. FAME-ISH wil per september 2008 leerlingen gedurende 1 jaar fulltime opleiden binnen het vmbo-traject.

8. Horizon Educatief Centrum

Organisatie	Horizon, Instituut voor jeugdzorg en onderwijs Mozartlaan 150 3055 KM Rotterdam Tel. (010) 2854 700 centraalbureau@horizon-jeugdzorg.nl www.horizon-jeugdzorg.nl
Omschrijving project	Het educatief centrum is een opleidings- en trainingscentrum met 8 leer-werkplaatsen voor de zwaarste groep schooluitvallers. Jongeren worden bij aanvang getest op hun talenten en ambities. Op die manier worden ze in een bepaalde leer-werkplaats geplaatst. Er is een programma voor vijf dagen per week. De helft van de tijd is er een vakgericht programma. De andere helft van de tijd is er persoonlijke begeleiding en zijn er trainingen op maat.
Doelgroep	Jongeren die problemen hebben met leren en school en mogelijk ook in aanraking zijn gekomen met justitie. Het behalen van een regulier schooldiploma lijkt niet waarschijnlijk, maar het leren van een vak wel. Het is gericht op de zwaarste groep schooluitvallers: de niet-willers en niet-kunners tussen 16 en 18 jaar.
Doel van het project	Jongeren opleiden voor de praktijk in een richting waar ze goed in zijn, om hen op die manier aan een baan te helpen zodat zij zelfstandig kunnen wonen.
Talentcoaching?	Ja, hoewel het ontwikkelen van talent doel is en niet een middel. Wel is duidelijk dat talentontwikkeling tevens het middel is om jongeren te begeleiden naar zelfstandigheid en handhaving.
Creatief-agogisch middel	Koken, houtbewerken, metaalbewerken
Bevindingen	Het educatief centrum van Horizon is in 2008 een van de pilots van de minister van Jeugd en Gezin (Rouvoet) om de effectiviteit ervan te onderzoeken. In de toekomst zou een training bij Horizon als alternatieve justitiële interventie kunnen gelden.

9. Hype

Organisatie	Attak Stedelijk Jongerenwerk Tilburg Veemarktstraat 39 5038 CT Tilburg Tel. (013) 5430 140 www.attak.nl www.hypetilburg.nl
Omschrijving project	Hype is een jaarlijks terugkerend talentenfestival voor jongeren uit Tilburg en omgeving. Het festival fungeert als springplank en motivator voor nieuw talent. Zowel organisatorisch als inhoudelijk vervullen jongeren belangrijke taken bij de totstandkoming. Tijdens HYPE wordt er gewerkt aan de cohesie tussen de verschillende Tilburgse wijken. Deze wordt gevormd tijdens de voorrondes van HYPE die in de verschillende wijken van Tilburg plaatsvinden. In de organisatie van HYPE en tijdens de voorrondes creëert men een betrokkenheid bij het evenement en ontstaat er een verantwoordelijkheidsgevoel bij deelnemers en organisatoren. Dit zorgt voor een spiegel bij de betrokken jongeren waardoor voor hen duidelijk wordt wat hun sterke en zwakke kanten binnen hun sociale vaardigheden zijn.
Doelgroep	Jongeren, inclusief risicojongeren, van 12 tot en met 26 jaar.
Doel van het project	Brede talentontwikkeling, sociaal-culturele activering en het versterking van het zelfregulerend vermogen.
Talentcoaching?	Ja
Creatief-agogisch middel	Muziek, dans, rap, graffiti, film
Bevindingen	HYPE trekt jaarlijks minimaal 3000 jongeren. Het gaat hier om bezoekers, deelnemers en organisatoren verdeeld over de gehele periode. Beginnend bij organisatie en eindigend bij uitvoering.

10. IMC Weekendschool

Organisatie	IMC Weekendschool WTC, Strawinskylaan 127 Toren C, 1e verdieping 1077 XX Amsterdam Tel. (020)5141 670 www.imcweekendschool.nl
Omschrijving project	Jongeren krijgen drie jaar lang elke zondag les van professionals (vrijwilligers) die een passie hebben voor hun vak. Na drie jaar kunnen ze in een follow-up traject ondersteund worden bij het doorlopen van de middelbare school en kunnen ze zelf les komen geven aan de jongere weekendschoolgeneraties.
Doelgroep	Jongeren tussen 10 en 14 jaar uit achterstandswijken in de grote steden
Doel van het project	Deelnemers steunen bij het verbreden van hun perspectieven, ontdekken van passie en talent, vergroten van zelfvertrouwen en het vinden van aansluiting bij brede lagen in de samenleving
Talentcoaching?	Ja
Creatief-agogisch middel	Divers: beeldende kunst, film, taal en poëzie (naast andere vakken als filosofie, geneeskunde, sterrenkunde en lessen waar zij zelf om vragen)
Bevindingen	IMC werd in 1998 opgericht in Amsterdam Zuidoost, door psycholoog Heleen Terwijn en telt inmiddels 8 weekendscholen in Nederland. Een weekendschool heeft ongeveer 100 leerlingen in 3 jaargroepen. Tweederde van de jongeren maken het driejarig traject af en ontvangen het weekendschooldiploma. De IMC weekendschool heeft een onderzoeksgroep die de doelgroep, de methoden en de effecten onderzoekt.

11. KICK Project

Organisatie	Stichting Kick-Breda Pelmolenstraat 12 a 4811 LL Breda Tel. (076)5151728 www.kick-breda.nl
Omschrijving project	Een intensief trainingsprogramma van 4 dagen per week waarbij jongeren door middel van kickboxen en trainingen sociale vaardigheden structuur wordt geboden. De vijfde dag wordt besteed aan individuele begeleiding. Men richt zich aan de hand van de sport op de kracht van de jongeren. Er wordt gekeken naar ambities en vaardigheden die vertaald worden naar keuzes in het leven van de jongeren.
Doelgroep	Risicojongeren tot en met 22 jaar die een justitiële maatregel hebben en/of de aansluiting bij de reguliere onderwijs- of arbeidsmarkt verliezen.
Doel van het project	Jongeren begeleiden bij hun terugkeer naar de maatschappij, uitgaande van hun kracht en ambities. Om leren gaan met niet-delinquente vrienden. Zinvolle dag- en vrijetijdsbesteding bieden.
Talentcoaching?	Ja
Creatief-agogisch middel	Sport, kickboxen
Bevindingen	Per jaar worden er ongeveer 60 jongeren gedurende 2,5 maand begeleid in KICK. Tweederde van de groep vindt daarna een weg binnen scholing/arbeid. De anderen belanden in zorgtrajecten of haken af vanwege onvoldoende motivatie.

12. Undertainment

Organisatie	Dienst maatschappelijk Ontwikkeling Amsterdam In samenwerking met B&A (facilitering en begeleiding) Dienst Maatschappelijke Ontwikkeling Gebouw Metropool Weesperstraat 101 Postbus 1840 1000 BV Amsterdam Tel. (020) 5522 222 info@dmo.amsterdam.nl
Omschrijving project	Undertainment biedt jongeren de mogelijkheid om zelf projecten op te zetten en daar verantwoordelijk voor te zijn. Jongeren worden 'producent' van hun eigen project. Er wordt gewerkt vanuit de kracht, het talent, ambities en dromen van jongeren zelf. Zij worden daarbij begeleid en ondersteund. Er is sprake van flexibele inzet van begeleiders, budget en fysieke ruimte. Jongeren worden opgespoord en begeleid door coaches. Als de activiteit erom vraagt worden er vakdocenten aangetrokken.
Doelgroep	Gericht op risicojongeren tussen 15 en 23 jaar die 'buiten de boot dreigen te vallen'. De zwaarste groep risicojongeren wordt nauwelijks bereikt.
Doel van het project	• Undertainment wil voorzien in een lacune op het gebied van vrijetijdsactiviteiten voor risicojongeren • Jongeren de kans bieden al werkend talent te ontwikkelen en dromen te realiseren • Jongeren begeleiden in producentschap en verantwoordelijkheidsgevoel en realiteitszin bijbrengen • Motivatie voor vervolgonderwijs en/of arbeid vergroten • Vergroten van netwerk
Talentcoaching?	Ja
Creatief-agogisch middel	Divers, afhankelijk van de wensen van jongeren. Projecten variëren van festivals tot voetbaltoernooien en theaterprojecten.
Bevindingen	Jaarlijks doen 200 risicojongeren mee. Er doen ook jongeren mee die niet aan het profiel 'risicojongere' voldoen.

100

13. Voor Talent Wordt Geklapt!

Organisatie	Divers welzijnsonderneming Stedelijk Bureau Divers Rogier van der Weydenstraat 2 5213 CA 's-Hertogenbosch Tel: (073) 6124 488 www.divers.nl
Omschrijving project	Voor Talent Wordt Geklapt (VTWG) is een project waarin jongeren van 11 tot en met 18 jaar die in 's-Hertogenbosch wonen of naar school gaan hun 'skills' kunnen laten zien! Dat mag van alles zijn: dans, muziek, theater en literatuur. Wij 'klappen' altijd voor jullie talenten, want iedereen heeft wel een talent in zich! Daar is het team van VTWG van overtuigd. 'Meedoen' is daarom ook belangrijker dan 'winnen'. Het project heeft het karakter van een talentenjacht. Er zijn twee workshoprondes. Daarna is er een oefenperiode in de wijk in een ruimte die het jongerenwerk regelt. Er is een voorronde met optredens. De beste artiesten krijgen daarna nog les van vakdocenten om de act aan te scherpen ... Daarna is de grote finale.
Doelgroep	Jongeren van 11 tot en met 18 jaar, inclusief risicojongeren
Doel van het project	Ontdekken en ontwikkelen van talenten van jongeren
Talentcoaching?	Nee
Creatief-agogisch middel	Podiumkunsten, dans, muziek, theater en literatuur
Bevindingen	Voor Talent Wordt Geklapt werd in 2008 voor de vijfde keer georganiseerd. Het is een populair laagdrempelig project. Het is bekend dat het voor veel jongeren, ook voor risicojongeren, een springplank is om artistieke talenten verder te ontwikkelen. Het beoogt naast de artistieke ontwikkeling ook de persoonlijke en sociale ontwikkeling te stimuleren.

Literatuur

Acker, J. van (2006). Een objectieve kijk op jeugdcriminaliteit. *Nederlands Tijdschrift voor Jeugdzorg*, 1.

American Psychiatric Association (1994, 4th ed.). *Diagnostic and statistical manual of mental disorders*. Washington: APA.

Behrend, D. (2008, 5[e] herz. dr.). *Muzisch Agogische Methodiek. Een handleiding*. Bussum: Coutinho.

Blokland, A.A.J. & Nieuwbeerta, P. (2004). Crimineel gedrag over het leven. De effecten van leeftijd, levensomstandigheden en persoonskenmerken. *Mens en Maatschappij*, 79(3), 233-263.

Blom, M., Oudhof, J., Bijl, R.V.& Bakker, B.F.M. (red.) (2005). *Verdacht van criminaliteit. Allochtonen en autochtonen nader bekeken*. Den Haag: Ministerie van Justitie/ WODC (cahier 2005-2).

Blom, M. & Laan, A.M. van der (2007). *Monitor Jeugd Terecht 2007*. Den Haag: WODC.

Brink, L.T. ten & Veerman, J.W. (1998). Risicofactoren en protectieve factoren in de ontwikkeling van kinderen en adolescenten. In: J.D. Bosch (red.) *Jaarboek ontwikkelingspsychologie, orthopedagogiek en kinderpsychiatrie 3* (pp13-46). Houten: Bohn Stafleu van Loghum,

Claessens, K. (2006). *Het stopzetten van een delinquente carrière: Desistance*. Leuven: Universiteit van Leuven, Faculteit Rechtsgeleerdheid.

Csikszentmihalyi, M. (2005). *Flow, psychologie van de optimale ervaring*. Amsterdam: Boom.

Csikszentmihalyi, M. (1999). *De weg naar flow*. Amsterdam: Boom.

Csikszentmihalyi, M. (2001). *Creativiteit, over flow, schepping en ontdekking*. Amsterdam: Boom.

Csikszentmihalyi, M. (1996). *Creativity, Flow and the psychology of discovery and invention*. New York: Harper Collins Publishers.

Davidson, R.J. (1998). Affective style and affective disorders: Perspective from affective neuroscience. *Cognition & Emotion*, 12, 307-330.

Donker, A., Kleemans, E., Laan, P. van der & Nieuwbeerta, P. (2004). Ontwikkelings- en levensloopcriminologie in vogelvlucht. *Tijdschrift voor criminologie*, 46(4).

Donkers, G. (1993). *Veranderkundige modellen. Inleiding in de agogische theorie en praktijk*. Nelissen, Baarn.

Edzes, M. (2006). *A target a day keeps the doctor away*. Sappemeer: Bureau Edzes.

Eliaerts, C. (red). (2006). *Ernstige jeugddelinquentie: Mythe of realiteit?* Brussel: VUBPress.

Ewijk, B. van (2008). Wat kunnen jongerenwerkers er aan doen? *TSS*, 07-08.

Feij, J.A. (2006). De psychologie van de kick. *Justitiële Verkenningen*, 32(5), 63-81.

Ferweda, H. & Kloosterman, A. (2007). *Jeugdgroepen in beeld, stappenplan en randvoorwaarden voor de shortlistmethodiek*. Arnhem: Bureau Beke.

Haidt, J. (2006). *De gelukshypothese. De balans tussen oude wetenschap en moderne wijsheid*. Utrecht: Het Spectrum.

Hamels, I. (2007). *Battle zonder knokken. Investeren in talent*. Onderzoeksrapportage afstudeerproject CMV. Expertisecentrum Veiligheid Avans Hogeschool.

Hermanns, J. (2001). *Kijken naar opvoeding. Opstellen over jeugd, jeugdbeleid en jeugdzorg*. Amsterdam: Uitgeverij SWP.

Hermans, J.H.M. (1972). Een model voor de helpende relatie in taaksituaties. *Pedagogische Studiën*, 49, 4-33.

Hermes, J., Naber, P. & Dieleman, A. (2007). *Leefwerelden van jongeren. Thuis, school, media en populaire cultuur*. Bussum: Coutinho.

Jacobs, J., Ferwerda, H. & Beke, B. (2006). *Focus op jeugdcriminaliteit. Inleiding voor de beroepspraktijk*. Arnhem: Advies- en Onderzoeksgroep Beke.

Jacobs, M. & Essers, A. (2003). De misdaad van de straat. Achtergronden van veelplegers. *Tijdschrift voor criminologie*, 45(2), 140-152.

Jong, J.D. de (2007). *Kapot moeilijk. Een etnografisch onderzoek naar opvallend delinquent gedrag van Marokkaanse jongens*. Amsterdam: Aksant.

Kaldenbach, H. (2007). *Respect! 99 tips voor het omgaan met jongeren in de straatcultuur*. Amsterdam: Prometheus.

Klomp, M., Kloosterman, P. & Kuijvenhoven, T. (2004). *Aan de gang, motiveren van vastgelopen jongeren voor werk en scholing*. Amsterdam: Uitgeverij SWP.

Komen, M. (Red.) (2005). *Straatkwaad en jeugdcriminaliteit* (hoofdstuk 10: IMC weekendschool en het bestrijden van sociale achterstanden). Apeldoorn: Het Spinhuis.

Koning, E.J., Koster, M. & Mein, A. (red.) (2007). *Praktijkboek Sociale Veiligheid*. Provincie Noord-Brabant.

Kooijmans, M. (2007). Jumping, krumping en jongleren als opstap naar succes bij risicojongeren. *MO Samenlevingsopbouw*, 26(214).

Kooijmans, M. & Spierts, M. (2008). Straffer én socialer. Een uitweg uit de patstelling over moeilijke jongeren. *TSS*, 06.

Koswal, G. (red.) (2006). *All Stars, life is a performance*. Amsterdam: Stedelijk Jongerenwerk Amsterdam en Hogeschool van Amsterdam.

Koswal, G. (red.) (2006). *Brotherhood.* Amsterdam: Stedelijk Jongerenwerk Amsterdam en Hogeschool van Amsterdam.

Laan, A.M., Groen, P.P.J. & Bogaers, S. (2005). *Feiten die tellen. Een overzicht van geregistreerde feiten met een strafdreiging van acht jaar of meer gepleegd door 12- tot en met 17-jarigen in de periode 1998-2003.* Den Haag: WODC.

Laan, A.M., Blom, M., Verwers, C. & Essers, A.A.M. (2006). *Jeugddelinquentie: risico's en bescherming.* Den Haag: WODC.

Laan, P. van der (2008). Jeugd, criminaliteit, politie en justitie. In: I. Weijers & C. Eliaerts, *Jeugdcriminologie.* Den Haag: Boom Juridische Uitgevers.

Leblanc, M. & Loeber, R. (1998). Developmental criminology updated. In: M. Tonry (Ed.), *Crime and Justice,* 23, (pp. 115-198). Chicago: University of Chicago Press.

Leeuwen, H. van, Slot, W. & Uijterwijk, M. (Red.) (2001). *Anti-sociaal gedrag bij jeugdigen. Determinanten en interventies.* Lisse: Swets & Zeitlinger.

Lens, W. & Depreeuw, E. (1998). *Studiemotivatie en faalangst nader bekeken.* Leuven: Universitaire Pers.

Loeber, R., Wei, M., Stouthamer-Loeber, M., Huizinga, D. & Thornberry, T. (1999). Behavioral antecedents to serious and violent juvenile offending: Joint analyses from the Denver Youth Survey, Pittsburgh Youth Study, and the Rochester Development Study. *Studies in Crime Prevention,* 8, 245-263.

Loeber, R. & Farrington, D. (1998). *Serious and violent juvenile offenders: Risk factors en successful interventions.* Thousand Oaks: Sage.

Loeber, R. (2001). Interventies bij delinquente jongeren. In: H. van Leeuwen & W. Slot (Red.), *Antisociaal gedrag bij jeugdigen* (pp. 15-21). Lisse: Swets & Zeitlinger.

Maruna, S. (2001). *Making good: how ex-convicts reform and rebuild their lives.* Washington: American Psychological Association.

Maslow, A.H. (1972). *Motivatie en persoonlijkheid.* Rotterdam: Lemniscaat.

McNeill, F. (2008). *Towards Effective Practice in Offender Supervision.* Glasgow: School of Social Work and Scottish Centre for Crime and Justice Research, University of Glasgow.

Noorda, J. & Veenbaas, R. (2006). *Rondhangende jongeren.* Den Haag: WODC.

Nuytiens, A., Christiaens, J. & Eliaerts, C. (2007). Stoppen of doorgaan? Recent onderzoek naar desistance from crime bij persistente jeugddelinquenten. *Panopticon,* 2, 41-56.

Piët, S. (2003). *De emotiemarkt. De toekomst van de beleveniseconomie.* Amsterdam: FT Prentice Hall Financial Times.

Putnam, R.D. (2000). *Bowling Alone, the collapse and revival of American community.* New York: Simon & Schuster, Rockefeller Center.

Roede, E. (1993). Motivatie en emotie van leerlingen. Van drijfveer tot afwegingsproces. In: W. Tomic & P. Span (Red.), *Onderwijspsychologie: Beïnvloeding, verloop en resultaten van leerprocessen.* Utrecht: Lemma.

Rosmalen, J. van (1999). *Het woord aan de verbeelding. Spel en kunstzinnige middelen in het sociaal-agogisch werk.* Houten: Bohn Stafleu Van Loghum.

Rovers, B. & Kooijmans, M. (2008). *Werken met risicojongeren. Handboek voor sociale professionals.* 's- Hertogenbosch: Expertisecentrum Veiligheid Avans Hogeschool.

Ruikes, T.J.M. (1994). *Ervaren en leren. Theorie en praktijk van ervaringsleren voor jeugdhulpverlening, jeugdbescherming en jeugdwerk.* Utrecht: Uitgeverij SWP.

Sennet, R. (2003). *Respect in een tijd van sociale ongelijkheid* (hoofdstuk 3: Verschil in talent). Amsterdam: Byblos.

Sieger, R. (1999). *Succes zit in je. Bereik je persoonlijke doelen door vertrouwen in jezelf.* Utrecht: Het Spectrum.

Stouthamer-Loeber, M., Loeber, R., Farrington D. & Kammen, W. van (1998). *Antisocial behavior and mental health problems: Explanatory factors in childhood and adolescence.* Mahway: Lawrence Erlbaum Associates.

Swierstra, T. & Tonkens, E. (Red.) (2008). *De beste de baas? Prestatie, respect en solidariteit in een meritocratie.* Amsterdam: Amsterdam University Press.

Terwijn, H. (2006). Toekomstperspectieven en talentontwikkeling in plaats van 'hoog komen'. In: Chr. Brinkgreve & R. van Dalen (Red.), *Over gelijkheid en verschil.* Apeldoorn/Antwerpen: Het Spinhuis.

Terwijn, H. (2005). IMC weekendschool en het bestrijden van sociale achterstanden. In: M. Komen (Red.), *Straatkwaad en jeugdcriminaliteit.* Apeldoorn: Het Spinhuis.

Vold, G., Bernard, T. & Snipes, J. (2002). *Theoretical Criminology.* New York: Oxford University Press.

Waal, V. de (2008). *Uitdagend leren. Culturele en maatschappelijke activiteiten als leeromgeving* (hoofdstuk 6 en 7). Bussum: Coutinho.

Weerman, F.M. & Laan, P.H. van der (2006). Het verband tussen spijbelen, vroegtijdig schoolverlaten en criminaliteit. *Justitiële Verkenningen*, 32, 39-54.

Weijden, R. van der & Witte, L. (2008). *Zo werkt het! Begeleiding van jongeren van school naar werk.* Bussum: Coutinho.

Weijers I. & Eliaerts, C. (Red.) (2008). *Jeugdcriminologie. Achtergronden van jeugdcriminaliteit.* Den Haag: Boom Juridische Uitgevers.

Wit, J. de, Slot, W. & Aken, M. van (2007). *Psychologie van de adolescentie. Basisboek* (pp. 165-188). Baarn: HB Uitgevers.

WODC (Wetenschappelijk Onderzoek- en Documentatiecentrum) (2006). *De Kick. Justitiële Verkenningen*, 32(5/06).

Nota's
Broeke, L. ten, Verhulst, S. & Bosveld, W. (2006). *Bijzondere Trajecten Risicojongeren.* Dienst Onderzoek en Statistiek, Gemeente Amsterdam.
Gemeente Amsterdam, Afdeling Openbare Orde en Veiligheid (2007). *Bestrijding Jeugdcriminaliteit en Jeugdoverlast Amsterdam. Investeringsplan 2007-2010.*
Gemeente Amsterdam, Dienst Maatschappelijke Ontwikkeling (2008). *Jong;-) Amsterdam. Kader brede talentontwikkeling voor alle jeugd in Amsterdam 2007-2010.*
Kooijmans, M. (2005). *Muze op maat. Handleiding Major Creatief Agogisch Werk.* Avans Hogeschool.
Kooijmans, M. (2006). *Onderzoekskader 'Battle zonder knokken'.* 's- Hertogenbosch: Expertisecentrum Veiligheid Avans Hogeschool.
Montfoort, A. van (2007). Specifiek jeugdbeleid en jeugdzorg. In: P. van Lieshout (Red.) *Bouwstenen voor betrokken jeugdbeleid* (pp. 73-312). Amsterdam: AUP (www.wrr.nl).
Nauta, O. (2008). *Recidivemeting trajecten aanpak en preventie jeugdcriminaliteit. Recidivemeting trajecten van zes Amsterdamse jeugdinterventies en Jeugdreclassering.* Amsterdam: DSP-groep.
RMO (Raad voor Maatschappelijke ontwikkeling) (2008). *Tussen flaneren en schofferen. Over de aanpak van overlastgevende hangjongeren.* Amsterdam: Uitgeverij SWP.
Rovers, B. & Moors, H. (2007). *Interacties voor een veilige stad.* Onderzoeksprogramma 2006-2009. 's-Hertogenbosch: Expertisecentrum Veiligheid Avans Hogeschool.
Sectorraad HSAO (2008). *Vele takken één stam. Kader voor de hogere sociaalagogische opleidingen.* Amsterdam: Uitgeverij SWP
Spierts, M. & Boer, N. de (2008). *Talentontwikkeling en jongerenwerk.* Notitie t.b.v. een werkconferentie over talentontwikkeling in het kader van Raak-Pro aanvraag 'Talentontwikkeling bij Risicojongeren'. Youth Spot, HvA Karthuizer (niet gepubliceerd).
Stichting Sport en Sociale Begeleiding (2009). *Waarom sport als middel?* Eindhoven: SSB. www.stichtingssb.nl.
Winsemius, P. (2008). *Niemand houdt van ze.* Kohnstammlezing over vroegtijdig schoolverlaters. Den Haag: Wetenschappelijke Raad voor het Regeringsbeleid.

Videodocumentaire
LaChapelle, D. (2005). *Rize.* LGT Lionsgate films. Videodocumentaire.

Over de auteur

Maike Kooijmans (1964) is vanaf 1990 werkzaam in het Hoger Sociaal Agogisch Onderwijs bij de opleidingen Sociaal Pedagogische Hulpverlening en Culturele en Maatschappelijke Vorming. Haar expertisegebied is Creatief Agogisch Werk binnen de jeugdhulpverlening en het jongerenwerk. Zij voltooide in 1987 haar studie aan de voormalige Kopse Hof in Nijmegen als Creatief Educatief Werker en studeerde daarna af als Dramadocent aan de faculteit Drama en Theater van de Hogeschool voor de Kunsten in Utrecht (1991). Zij startte haar loopbaan als docent in 1990 bij de toenmalige Hogeschool de Horst in Driebergen.

Sinds 1999 is zij werkzaam als hogeschooldocent en onderzoeker bij Avans Hogeschool in 's-Hertogenbosch, verbonden aan de Academie voor Sociale Studies en vanaf 2006 werkzaam in het Lectoraat Jeugd en Veiligheid van Ben Rovers. In het lectoraat was ze van 2006 tot 2008 projectleider van het onderzoeksproject 'Battle zonder knokken'. Zij zal de komende jaren als promovendus verdiepend onderzoek doen naar de invloed van talentcoaching op het proces van stoppen met delinquent gedrag bij risicojongeren.

Colofon

Battle zonder knokken
Talentcoaching van risicojongeren
Maike Kooijmans

ISBN 978 90 8850 041 1
NUR 740

Vormgeving omslag
Monique Klein, dtp-enzo.nl

Vormgeving binnenwerk
Irene Linders, Uitgeverij SWP

Uitgever
Ingrid de Jong

Voor informatie over overige uitgaven van Uitgeverij SWP:
Postbus 257, 1000 AG Amsterdam
Telefoon: (020) 330 72 00
Fax: (020) 330 80 40
E-mail: swp@mailswp.com
Internet: www.swpbook.com